PORTO

PORTUGAL

포르투, 더 늦기 전에 포르투갈

발 행 | 2024년 7월 23일

저 자 | 스모코

편 집 | 선우주식회사

펴낸이 | 한건희

펴낸곳 | 주식회사 부크크

출판사등록 | 2014.07.15.(제2014-16호)

주 소 | 서울특별시 금천구 가산디지털1로 119 SK트윈타워 A동 305호

전 화 | 1670-8316

이메일 | info@bookk.co.kr

ISBN | 979-11-410-9468-3

포·르·투

더 늦기 전에 포르투갈

글/사진 스모코

포르투의 심장, 히베이라

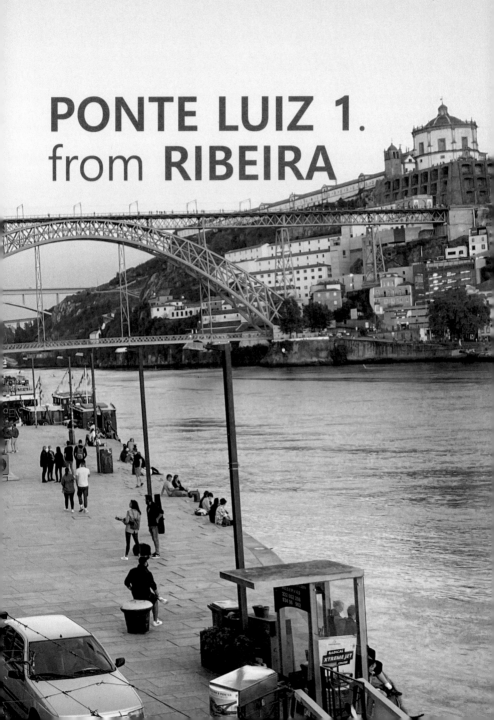

PONTE LUIZ 1.
from RIBEIRA

다닥다닥 히베이라 언덕 집들

포르투의 명물, 트램

JADIM do MORO

석양을 즐기기 좋은 모루공원

VILA NOVA
de GAIA

히베이라 감상에 좋은 가이아

COSTA NOVA

만화 속 그림 같은 코스타노바

RIBEIRA

활기와 감성 넘치는 히베이라

겉바속촉의 원조, 포르투갈 나타

깻잎도, 아이폰도 아닌 생선 캔

물고기 마그네틱

전설 속 '정직'의 상징, 수탉

포르투갈 정어리

이런
기념품
어때요?

저렴하고
전통 있는 와인

수공예 세라믹 기념품

짜먹는 잼, meia duzia

선물로 좋은 쿠토 치약

마그네틱 포르투 컵

RIBEIRA

from VILA NOVA de GAIA

포르투에는 왜?

2 4년 넘도록 멀쩡하게 다니던 직장에 명예퇴직을 신청했다. 뭔가 다른 일을 해야 하긴 했으나 곧바로 새로운 일을 시작하기는 싫었다.

'여행이나 갈까?' 생각했는데 딱히 떠오르는 여행지가 없다. 최근 남아프리카공화국행 항공권을 두 번이나 예약했다가 취소를 했지만, 코로나19 시대에 남아공은, 음…… 아직은…… 좀 ~.

그러다가 몇 년 전 대학생 딸아이가 가고 싶다고 해서 여행 책까지 사준 적이 있는 포르투갈의 포르투가 생각났다. 체코 프라하도 괜찮겠다는 생각이 들었지만, 이 두 도시 모두 딸아이가 가고 싶어하는 도시라서 아빠가 새치기하듯 먼저 여행을 하는 것은 아무리 부녀지간이지만, 예의가 아니라는 생각이 들었다. 게다가 딸은 프라하에서 한 달 살기를 하기 위해 항공권과 숙소 예약까지 모두 해놓은 상태에서 갑작스러운 코로나19로 국가간 이동이 제한되고 항공편이 취소되는 바람에 휴학까지 했음에도 결국 프라하로 떠나지 못했던 아픔까지 있는 도시이다.

포르투로 여행지를 결정하고 딸에게 말했더니 아니나 다를까, "아빠, 거기 내가 가려고 했던 데잖아!" 하며 소리를 쳤지만, 재미있어 한다.

여행지를 결정하고 도시 정보를 찾아보니, 휴식시간을 길게 갖기 위한 도시로 포르투가 딱이라는 생각이 들었다. 딱히 정해진 일 없이 빈둥거리며 현지인처럼 느긋하게 살아보려고 계획하다 보니 한 개의 도시에만 있기에는 좀 아쉽다.

포르투갈의 수도 리스본에도 가보고, 바로 옆 나라 스페인에도 잠깐 들르면 좋겠다는 생각이 들었다. 게다가 스페인의 남쪽 끄트머리에 있는 영국령 지브롤터Gibraltar도 궁금했다. 지브롤터는 아주 작아 특별할 것이 별로 없는 땅이지만, 스페인 땅 같은데 영국령이라는 것, 입국을 위해 공항 활주로를 가로질러 지나야 비로소 지브롤터에 들어갈 수 있다는 것, 지브롤터의 남단 유로파 포인트Europa Point에서는 아프리카 모로코를 코앞에서 보듯 마주할 수 있다는 것 등이 지브롤터를 선택하게 만들었다.

이렇게 몇몇 도시를 느리게 여행해보기로 하고, 제일 먼저 들른 곳이 포르투였다. 포르투는 도시 자체가 아기자기한데다 유럽 감성을 느낄 수 있는 붉은 지붕의 집들이 경치를 예쁘게 하는 것은 물론이고, 물가는 서유럽의 다른 나라들에 비해 상대적으로나 절대적으로도 저렴하며, 치안이 좋은 점도 포르투를 선택한 이유였다. 특히 모루공원의 석양과 이를 감상하는 사람들이 찍힌 사진은 너무 인상적이었고, 나도 그 사진 속의 배경이 된 채 멋진 석양을 감상해보고 싶었다.

누구에게는 최고의 도시, 누구에게는 하루이틀이면 충분한 도시

포르투에서 지낸 15일 동안, 작고 아기자기해서 예쁜 포르투의 매력에 푹 빠져들었다(포르투는 '아름다운' 도시가 아니라 '예쁜' 도시가 맞다.).

바쁘게 돌아다닐 계획은 전혀 없었고, 심지어 여행 때마다 늘 미리 계획했던 시간 표시가 된 일정표도 이번엔 만들지 않았다. 단지 가고 오는 항공편과 도시별 숙소, 관심지 및 액티비티 정도만 간단히 적어 놓았다. 포르투는 특히 작은 도시라서 15일의 여행기간이면 굳이 일정표를 만들지 않더라도, 느긋하게 충분히 하고 싶은 것 다하고, 가보고 싶은 곳 다 가볼 수 있을 거라 생각했기 때문이다.

장기체류를 하면 여행 책자나 인터넷에서 소개하는 주요 관광지와 핫플레이스 외에도 단기 여행자가 잘 경험할 수 없는 도시의 속살 같은 것을 체험할 수도 있다. 의도하거나 기대하지 않았지만, 자연스럽게 발견하고 경험하는 것도 또 다른 묘미라서 여행자의 동선에서 살짝 벗어난 곳을 가보는 것도 좋겠다고 생각했다. 이러다 보니 15일이 눈 깜짝할 새에 지나가 버린다.

인터넷 카페에서는 포르투 여행에 대해 문의하는 질문자에게 포르투를 하루 이틀이면 충분히 돌아볼 수 있다고 자신 있게 답하는 사람도 보인다. 여행은 낯선 어느 곳을 가고, 뭔가를 보는 것이 전부가 아니라 '느끼는 것'이 중요하고, 머릿속에 정보를 꽉꽉 채워 넣는 것이 아니라 추억이 될 수 있도록 '느껴야 한다'고 생각한다. 공원의 잔디밭, 길가의 벤치, 커피숍의 야외 테이블에 앉아 멍 때리거나 커피 한 잔을 하면서 낯선 공기와 이국의 바이브에 빠져드는 것도 관광지를 둘러보는 것만큼이나 좋은 여행의 일부이다.

여행자마다 각자의 계획과 여행 스타일이 다르니 남에게 여행기간이나 여행지를 추천하기가 어렵다. '포르투가 이러하니 살펴보고, 최종 결정은 네가 해야 한다.'라고 안내하는 것이 가장 좋은 방법이 아닐까 믿는다.

코로나시대의 여행

2021년 8월, 퇴직을 했는데 여전히 코로나19 때문에 전 세계가 온통 난

리이다. 시간이 흐르고, 다행히 정도가 좀 약해져서 10~11월의 유럽은 여행의 가장 큰 방해물이라고 할 수 있는 '자가격리'를 해제하고 있었다. 우리나라 역시 PCR 검사에서 음성 결과를 받고 예방접종 증명서만 있으면 별다른 제약 없이 입출국을 할 수 있는 정도까지 나아졌다. 하지만, 여행 수요는 여전히 꽁꽁 얼어붙어 있어 많지 않은 여행자만이 공항을 찾았다. 경유지 암스테르담으로 향하는 비행기의 일반석 네 개를 차지하고 누워 잠을 잘 수 있을 정도로……

출국 전, 인천공항에 좀 일찍 도착해 공항 내에서 PCR 검사를 받고, 비행기 탑승 전 포르투갈 정부의 인터넷 사이트에 접속하여 그 결과를 입력해야 하는 등의 번거로움이 있었다. 여행을 마치고 귀국할 때에는 스페인 바르셀로나의 한 의료기관에 들러 PCR 검사를 받고, 귀국 후 집에서 자가격리 하면서 두 차례에 걸쳐 지역 보건소에서 다시 PCR 검사를 받아야 했다.

40일 간의 여행을 잘 마치고, 바르셀로나에서 귀국할 무렵에는 오미크론 변이바이러스가 다시 창궐하게 되면서 코로나19에 상당히 자유롭던 네덜란드가 갑자기 여러 제한사항을 시행했다. 덕분에 7시간 30분의 경유 시간이 주어진 암스테르담을 짧게라도 구경해보겠다고 공항 밖으로 나갔던 나는 식사하는데 많은 시간을 들이는 바람에 정작 암스테르담 구경은 제대로 하지 못했다. 비행기를 타느라 아침과 점심을 모두 건너뛴 오후였는데, 코로나 관련 QR코드가 없다고 식당 입구에서 안으로 들여보내지 않앉다. 강제 다이어트를 할 뻔하기도 했으니 코로나19의 피해를 조금은 입었다.

여행 후기뿐만 아니라 여행에 필요한 여행정보도 풍성하게 구성

이 책에서 독자는 여행 에피소드와 멋진 포르투의 사진을 통해 재미와 여행정보를 모두 얻을 수 있다. 한 장의 사진이 백 마디 말보다 더 많은 이야기를 해 줄 수도 있고, 좀 더 생생하게 포르투를 있는 그대로 보여줄 수 있다고 믿기 때문에 사진을 많이 배치하였다. 책에서 미처 다루지 못한 더 많은 정보와 사진은 저자의 블로그에서 확인할 수 있으니 책 표지의 QR코드를 통해 들어가면 된다.

독자는 이 책에서 보여주는 다양하고 예쁜 사진들을 통해 포르투가 어떤 느낌의 도시라는 것을 이해할 수 있으리라 믿는다. 내가 가보고 싶은 도시인지, 그렇지 않은 도시인지 느낌으로 알 수도 있다. 거기에 저자의 경험과 느낌, 여행정보 등을 통해 여행계획을 세우는데 참고할 수도 있다.

깜찍하고 예쁜 포르투갈의 포르투를 소개할 수 있어 행복하고,

포르투를 여행지로 계획 중인 분들께 이 책이 조금이나마 도움이 된다면 좋겠다.

포르투; 더 늦기 전에 포르투갈

《참고》 본문 내 물가와 관련된 내용은 특별한 언급이 없는 경우, 2024년 7월 기준입니다.

동 루이스 1세 다리에서 본 히베이라 언덕 집

포르투의 낯선 공기가 심장을 설레게 해

암스테르담을 경유하여 18시간의 비행 끝에 드디어 포르투 공항에 도착했다. 포르투공항에서 상 벤투역까지 전철로 이동하여 밖으로 나오니 10월의 따스한 공기와 파란 가을 하늘이 반겨준다.

코로나19가 뭐냐는 듯 엄청난 인파의 외국인, 고풍스럽고 이국적인 건물들, 뭔가 좀 다른 느낌의 공기 등이 낯설지만 가슴을 살짝 흥분시킨다. 이런 간질거리는 기분 좋은 흥분은 여행이 막 시작되는 이때에만 가능하기 때문에 충분히 취해보려고 한다. 이제 40일 간의 여행이 시작되는 순간이다.

오랜만의 해외여행, 반겨주는 포르투

에어비앤비Airbnb로 예약한 민박집은 상 벤투역 바로 건너편에 있다. 역의 출입문을 등지고 앞을 똑바로 바라보면 길 건너 바로 앞에 있는 건물이다. 민박집 주변은 기념품점, 카페, 식당이 즐비하고, 카페와 식당의 야외 테이블엔 사람들로 넘쳐난다. 길 위에는 사람도 많고, 보행로는 아스팔트가 아니라 주먹만 한 돌을 끼워 맞춘 형태라서 바퀴 달린 캐리어를 끌고 다니기에 조금 힘이 들기도 하지만, 코로나19 방역 조치 영향으로 오랫동안 이런 풍경을 접하지 못한 나는 그냥 옆에서 이들을 바라보기만 해도 기분이 좋다. 코로나19가 종식되어 빨리 예전의 자유로운 여행 시절로 돌아갔으면 하는 생각이 든다.

전철 메트로를 이용해 공항에서 숙소 앞 상 벤투역까지 이동하고, 역에서 나오자마자 숙소이다보니 많이 걷거나 헤매는 시간 없이 빠르게 체크인하고 휴식할 수 있어 좋다.

'역 바로 앞에 숙소가 있으니 이렇게 좋구나!' 하는 감탄이 절로 나온다.

민박집은 엘리베이터가 없는 4층(포르투갈식으로는 3층)에 있다. 문 옆의 초인종을 눌렀더니 기다리고 있던 주인이 내려와 내 캐리어를 들고 올라간다. 주인인 줄 알았던 젊은 청년은 자신의 이름이 '오지Ozzy(원래 이름은 오스발두Osvaldo)'이고, 주인 히가두Ricardo와는 친구 사이라고 했다. 얼마 지나지 않아 만난 집주인 히가두 역시 생긴 것과는 다르게 상냥하고 친절할 뿐만 아니라 예의도 바른 친구라서 여행의 시작이 잘 풀리고 있다는 느낌이 든다.

집은 몇백 년은 족히 되어 보이는 목조주택이다. 4층은 복도와 주방, 방 하나로 구성되어 있으나 방을 거실처럼 사용하고 있다. 내 침실은 부엌 앞의 계단을 따라 한 층 위에 있는데, 위층에는 내 침실과 주인 침실 그리고 화장실이 나란히 붙어 있다. 내 침실에는 킹사이즈의 넓은 침대와 협탁, 책상, 붙박이장이 놓여있다. 신기하게도 유리창의 유리는 너무 깨끗해서 실제로 유리가 있는지 없는지 모를 정도로 비현실적으로 깨끗하다. 심지어 유리창에 다가가서 손으로 만져보기까지 했다. 유리창 밖으로는 구글맵에서 본 것처럼 중정 내지는 안뜰이 있는데 잔디밭과 콘크리트가 아름답게 배치되어 있어 보기만 해도 기분이 절로 좋아진다.

경유지 암스테르담에서 입국심사

인천공항에서 암스테르담을 경유하여 포르투공항에 오는 과정도 꽤 괜찮았다. 코로나 시대라고 해서 많은 한국인은 여행을 잊고 사는 시기였으나 나는 퇴직을 했고, 유럽은 닫혀 있던 빗장을 계속해서 조금씩 풀어나가는 시기였던 것도 운이 좋았다. 인천에서 암스테르담까지 가는 비행기는 좌석이 3-4-3형태였고, 좌석의 1/4 정도만 탑승을 해서 빈자리가 많았다. 비행기가 인천공항에서 출발했지만, 한국인은 찾아보기 힘들 정도로 보이지 않는다.

난 중간의 네 개짜리 좌석에 앉은 두 명 중 한 명이었는데, 비행기가 출발하고 얼마 지나지 않아 그가 사라졌다. 덕분에 운 좋게도 네 자리를 혼자 차지하고 편안한 비행을 할 수 있었다.

0시 55분에 이륙한 비행기는 이륙 후 음식을 제공했는데, 난 쿨하게 사양하고 잠을 청했다. 사실 한밤중에 먹는 식사는 낯선 데다 잠을 자기 직전에 먹는 음식은 건강에 별로 좋지 않다. 게다가 좌석이 네 개인 중앙 열에 나 혼자만 있어 좌석 서너 개를 차지하고 누워 잠을 잘 수도 있는 상황인데 식사 후 곧바로 눕는 것은 역류성 식도염을 유발할 수 있기 때문에 오랜만에 접하는 '기내식'임에도 불구하고 잠시 망설이다 결국 포기했다.

좌석 손잡이를 모두 뒤로 넘기고 누워서 잠을 청하니 내 집 같은 편안함을 느꼈는지 경유지 암스테르담에 도착할 때까지 깨지도 않았다. 26년 전에나 가능했던 '누워서 비행기 타기'를 다시 실현하는 호사를 누렸다.

네덜란드 암스테르담의 스키폴공항Schiphol에서 경유하기로 예정되어 있어 남들과 같이 공항에 내렸다. 보통은 인천공항에서 받은 또 하나의 항공권을 갖고 해당 게이트로 가서 갈아타면 되는데 난데없이 보안검색Security Check 구역에 들어와 버렸다. 잘못 왔나 생각해 봐도 다른 사람들 역시 모두 이쪽을 향해 가고 있으니 잘못 온 건 아닌 것 같고, 여기서는 이렇게 해야 한다는 생각이 들어 남들 따라 눈치껏 행동했다. 그리고 보니 비행기 잡지에서 본 스키폴공항의 지도가 생각났다. EU 외 지역에서 온 경유자는 보안검색 후 해당 탑승 게이트로 이동해야 한다는……. 보안검색이 무서운 것은 아니다. 그냥 좀 번거로울 뿐이지.

보안검색 후 갈아탈 32번 게이트를 찾아 길을 떠났다. 공항이 큰 것인지 한참을 걸었는데 이번엔 입국심사대Passport Control에 사람들이 길게 줄을 서서 순서를 기다리고 있다.

공항에서 마주친 딱 한 명의 한국인 아주머니는 게이트 넘버를 안내하는 스크린에 글자가 잘 안 보인다며 자신이 탈 비행기의 게이트 넘버를 알려달라고 한다. 혼자서 덴마크 코펜하겐의 아들네 집에 가는 중이었다. 자주 왕래하는 길이라고 하는데 포스가 장난이 아니다. 난 오랜만의 여행이라 살짝 겁이 났는데 말이다.

그러던 아주머니는 바로 내 앞에서 입국심사를 받았는데 운이 없었는지 직원이 까탈스럽게 많은 것들을 묻는다. 인내심 많은 이 직원은 입국 예정자의 대답을 듣기 전에는 다른 질문으로 넘어가지 않는다. 포스 넘치던 아주머니는 왜 유럽에 왔냐는 간단한 질문에도 이해 못 하고 동문서답하다가 결국 한국어로 말하기 시작했는데 서로 이해를 못 하는 상황에 이들을 바라보고 있던 나도 답답했다.

3개의 입국심사대 중 내가 기다리고 있는 이곳의 진도가 다른 곳보다 두 배나 늦어지는 이유가 까탈스러운 직원의 질문에 있었다. 아주머니는 스마트폰에서 자식과 손주 사진을 직원에게 보여주며 한국말로 손자 보러 간다는 이야기를 하니 그때서야 비로소 직원은 여권을 내어준다.

많은 뉴스와 유튜브 컨텐츠에서 본 한국의 여권 파워와 외국인의 한국인에 대한 좋은 감정 관련 이야기가 사실이냐는 의구심이 드는 장면이었다. 내가 직접 경험한 것은 아니지만, 첫 관문부터 너무 마라 맛 장면을 본 것이 아닌가 하는……

이 까탈스러운 입국심사대 직원이 내 바로 앞의 한국인 아주머니에게 집요하게 질문을 해서 나도 살짝 긴장하고 있었다. 하지만, 내게는 특별한 질문이 없었고, 충분히 물어볼 만한 질문을 했다. 목적지, 이유, 기간, 여행 목적, 다음 목적지, 그리고 유럽은 처음인지 등등.

난 일단 포르투에 가고 여행을 좋아해서 왔으며, 40일간 머무를 예정이고 딱히 뭘 하겠다는 것보다는 그냥 와인이나 마시고 산책하다가 리스본과 스페인에 갈 예정이라고 답했다. 그는 내가 여권과 함께 건넨 7만 원이나 주고 검사·발급 받은 코로나19 감염 여부 결과지를 한 번 쓱 보고 별다른 관심을 보이지 않아 약간 서운할 뻔했다. 직원이 많은 질문을 했지만, 서로 농담도 하고, 서로 웃으면서 대화를 마쳤다. 입국심사대의 직원이 친절하고 상냥하면 그 여행은 뭔가 잘 풀리고 재미있는 일정이 되고, 반대의 경우 재미없는 여행을 하게 된다는 미신적인 생각을 갖고 있다. 이 직원과의 유쾌한 문답을 통해 40일 간의 여행이 아주 재미있을 거란 상상을 하며 32번 게이트를 찾아 발걸음을 재촉했다.

포르투공항-시내의 메트로 E선

전철 메트로를 이용하여 포르투공항에서 시내로 이동

시내 여섯 개의 노선(A, B, C, D, E, F) 중 E선(보라색)이 시내 트린다데역^{Trindade}까지 운행. 트린다데역에서 다른 전철로 갈아타고 목적지 근처의 역까지 이동

티켓 구입 방법 자동 발매기의 화면에서 영문으로 변경 후 화면 메뉴에 따라 순서 대로 터치하고, 신용카드나 현금으로 교통카드인 안단테 카드^{Andante Card} 구입. 안단 테 카드는 일반카드 안단테 아줄^{Andante Azul}과 24시간 동안 구역 내 자유롭게 이용할 수 있는 안단테 24^{Andante 24}, 구역 구분 없이 24시간 또는 72시간 동안 자유롭게 이 용할 수 있는 안단테 투어^{Andante Tour}, 월 패스 등 다양한 형태가 있음. 일반 형태의 아 줄은 카드 구입 후 별도로 원하는 금액을 충전해서 사용하며, 플라스틱이 아니라 마그네틱이 부착된 종이카드이기 때문에 구겨지지 않도록 주의가 필요함

소요 시간 공항에서 트린다데역까지 20분, 트린다데역에서 상 벤투역까지 5분
요금 공항에서 상 벤투역까지 카드값 0.60유로+요금 2.25유로(Z4). 구역별로 요 금이 다름(**안단테 아줄** 최저 요금 2존 1.40유로, **안단테 투어** 최저 요금 2존 5.15 유로, **안단테 투어** 24시간 7.50유로, 72시간 16.00유로)

참고 포르투의 메트로 홈페이지에서 지도, 소요 시간, 가는 방법, 요금 등 다양한 정 보를 얻을 수 있음(en.metrodoporto.pt)

메트로 내 승차권 검사

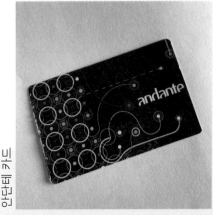

안단테 카드

여유로움과 낭만이 넘치는 히베이라

바이브 넘치는 포르투의 최고 핫스팟, 히베이라광장

포르투에 도착한 첫날, 에어비앤비 민박집에 도착하니 점심 시간이 조금 지난 이른 오후이다. 해외여행을 하면서 이렇게 이른 시간에 현지에 도착한 것도 흔하지 않은 일인데 어찌 됐든 시간을 번 것 같아 기분이 좋다.

일정상으로는 민박집 체크인 후 집에서 그냥 주구장창 쉴 생각이었는데 오랜 이동시간에도 불구하고 기운이 너무 팔팔해서 집에만 있기에는 너무 아까운 생각이 든다. 밖에 나가 점심 먹고, 잠깐 바람이나 쐴 요량으로 집을 나섰다.

일단 밖으로 나왔는데 딱히 목적지가 없다 보니 어디로 가야 할지 모르는 상태에서 잠깐 고민했다. 아무래도 언덕 위로 올라가는 것보다는 내려가는 편이 쉬울 것 같아 남쪽으로 무작정 걸음을 옮겼다. 휴대폰으로 지도를 여러 차례 봤기 때문에 딱히 구글맵을 보지 않더라도 그냥 길 따라 남쪽으로 쭉 내려가면 오래 걸리지 않아 히베이라^{Ribeira}에 도착할 것 같았다.

발길 닿는 대로 걷다 보니 히베이라

10월 초, 포르투의 날씨는 완전 좋아서 하늘이 파랗고 뭉게구름이 둥실둥실. 외국의 하늘이 한국과 다르지 않고 하늘만 바라보아도 기분이 너무 좋다.

거리에는 사람들이 꽤 많다. 미리 소식은 들어 알고 있었지만, 마스크를 쓰지 않은 채 돌아다니는 사람들이 너무 자유스러워 보인다. 한국을 떠난 지 몇 시간 지나지 않은 나는 코로나19가 걱정되어 마스크를 철저하게 쓰고 사람들 사이를 조심스레 걷는다.

온통 꽃으로 아름답게 장식해 놓았을 것 같은 플로레스거리^{R. das Flores}는 예상과 달리 꽃이 별로 보이지 않는다. 하지만, 아름다운 유럽풍의 거리이다. 한국에서 거의 볼 수 없는 알록달록한 색깔의 현대적인 상가, 실외 장식, 간혹 마주치는 몇백 년은 족히 되어 보이는 성당과 고건축, 그리고 거리를 활기차게 지나가는 여행객들, 악기를 연주하며 아름다운 노래를 들려주는 거리의 버스커들, 포르투가 예쁘고 사랑스러운 도시라는 것을 단번에 느낄 수 있는 거리이다.

플로레스거리를 지나니 초록의 잔디밭 너머로 볼사궁전^{Bolsa Palace}과 성 프란시스쿠교회^{Igreja Monumento de São Francisco}가 '이곳이 유럽이다.' 하는 듯이 이

국적이고 멋진 풍경을 내뿜는다. 걷기
10분도 채 지나지 않았는데 너무나
이국적이고 멋진 풍경들을 마주치니
앞으로 마주하게 될 것들이 더욱 기대
된다.

히베이라에 거의 도착했을 것 같은
생각이 드는데 지도를 보지 않고 그냥
걷고 있으니 감이 오지 않는다. 하지
만 볼사궁전 앞에서 남쪽 도로 너머
골목길 사이로 강과 강 너머 언덕 위
에 빼곡히 들어차 있는 집들이 눈에
들어오며 '드디어 다 왔구나!' 하는 생각과 안도감이 든다.

집에서 나와 10여 분밖에 안 지났는데 그새 히베이라와 도우루강^{Rio Douro}
에 도착했다. 도시의 최고 핫스팟을 단지 걸어서 순식간에 이동하는 것은
평소 여행 패턴과는 사뭇 다른 것이라서 더욱 기분이 좋다.

바이브 넘치는 히베이라

R. da Alfândega 골목길에서 바라보는 도우루강 풍경이 특히 인상적이
다. 골목길 양옆의 건물들은 오래되고 낡았다. 원색으로 칠해져 있거나 아
줄레주^{Azulejo}로 마감되어 고풍스럽고 아름다우며, 좁은 골목길 끄트머리에
깨끗해 보이는 강물, 그 너머 빌라 노바 드 가이아^{Vila Nova de Gaia}의 붉은색, 흰

색으로 잘 어우러진 아기자기한 건물들이 햇빛을 받아 아름답게 반짝인다. 파란 하늘과 흰 구름이 도우루강의 풍경을 한층 더 예쁘게 색칠하고 있는 것은 두말하면 잔소리다.

도우루강의 전통배, 라벨루

히베이라광장에 내려가기 전까지는 사람들이 그렇게 많이 보인 것은 아니었다. 하지만 도우루강가의 히베이라광장에 도착하고 나서 보니 사람들이 어찌나 많은지 밀치고 다녀야 하는 수준이다. 아무리 유럽이 코로나19 방역을 느슨하게 풀었다고는 하나, 저 많은 사람들 속을 헤집고 다니는 것은 감염 위험이 너무 커 보인다.

여행 당시 뉴스에 따르면, 우리나라에 코로나19 확진자가 1,000여 명 나올 때 이곳 포르투갈에는 200~300명 정도밖에 안 됐고, 2차까지의 예방 접종률은 85%로 전 세계 최고 수준이었다. 실내에서의 마스크 착용은 의무이고 야외에선 자율이지만, 거리에는 마스크를 쓰고 다니는 사람이 많지 않다.

　도우루강은 물빛이 맑고 깊어 보인다. 어떤 물고기인지 정확히 모르겠지만, 팔뚝만한 물고기가 헤엄을 친다. 포르투는 정어리사르디냐Sardina와 대구바칼라우Bacalhau 요리가 유명하다는데 정어리라고 하기엔 크기가 크다. 바다에서 올라온 대구나 농어일 가능성이 크다.

　히베이라광장에서 200여 미터 동쪽에는 포르투의 랜드마크 중 하나인 동 루이스 1세 다리Ponte Luiz 1.가 있다. 에펠탑을 만든 에펠의 제자가 만든 것답게 다리에서 에펠탑의 냄새가 물씬 풍긴다. 철을 얼기설기 엮었고, 특이하게 2층으로 건설했다. 1층은 사람들과 자동차가 다니고, 2층에는 사람들과 전철 메트로가 운행한다. 강폭이 150여 미터밖에 안 되다 보니 다리의 길이도 길지 않아 별 감흥이 없을 것 같은 생각이 들기도 했지만, 다리의 2층 높이가 45미터로 매우 높고 바로 눈앞에서 보니 웅장함이 느껴진다. 사진과 동영상으로만 보던 그 유명한 다리를 실물로 보니 훨씬 더 예쁘다.

　히베이라광장은 도우루강의 북쪽 강가에 위치하고 명색은 광장이지만, 조금 넓은 거리에 불과하다. 광장 북쪽에는 언덕으로 이루어져 있는데, 언덕의 땅이 보이지 않을 정도로 집과 건물들이 다닥다닥 계단식으로 들어차 있다. 광장의 건물은 식당, 카페, 기념품점으로 이용되고 있고, 식당과 카페는 가게 앞 거리에 테이블을 가져다 놓고 영업한다. 대부분의 상가는 건물 안쪽의 테이블보다 야외 테이블이 훨씬 더 많다. 테이블이 많아도 그

것보다 사람들이 더 많기 때문에 자리를 차지하는 것도 쉽지 않다. 야외 테이블에 앉아 음식을 주문하고, 거리의 버스커 노래를 들으면서 음식을 먹는 것은 특별한 경험이 된다.

히베이라에서는 일정 거리마다 노래를 부르거나 악기를 연주하는 버스커들을 늘 만날 수 있다. 날마다 버스커가 바뀌기도 하고, 한 번 봤던 이를 다음에 또 만나는 일도 있다. 포르투 첫날 만났던 키 작은 여성 버스커는 며칠 뒤에 또다시 만났는데, 작은 몸집과는 달리 너무나 청아한 목소리로 높은 음의 노래도 시원시원하게 불러 반할 정도로 멋져 보였다.

JTBC의 '비긴 어게인 2' 포르투 편에서 김윤아 등 몇몇 가수들이 이곳 히베이라에서 버스킹을 할 때 외국인들이 아주 좋아하기도 하고 호응도 좋았다. 언어가 다르고 노래를 부르는 가수들의 생김새가 달라도 음악이라는 매개체를 통해 세계 사람들이 하나가 될 수 있다는 것도 신기한 일이다.

도우루강 강가의 히베이라광장은 이곳에서 바라보는 방향에 따라 각기 다른 다양한 매력을 발산한다.

맑고 푸른 강과 강 위의 클래식한 투어 보트 라벨루^{Labello}, 광장 동쪽에 있는 포르투의 상징과도 같은 철교 동 루이스 1세 다리, 강 너머 빌라 노바드 가이아의 오래되어 더 예쁜 작은 건물들, 다리 건너에 있는 세하 두 필라르전망대^{Miradouro da Serra do Pilar}와 성당 돔, 키가 크지 않지만 나무 형태가 둥글게 가꾸어진 채 거리 한 가운데에 위치한 소나무 한 그루, 건물 너머 북쪽 언덕에 빼곡히 세워져 있는 붉은 지붕의 건물들이 서로 완벽히 잘 어우러진 한 편의 교향곡 같은 느낌이다. 거기에 수많은 관광객이 관중이 된 것처럼 광장에 빼곡하고, 야외 테이블마다 가득 들어찬 사람들의 모습은 포르투의 최고 핫스팟 히베이라를 완성한다.

언제 방문하더라도 히베이라의 활기 넘치는 바이브를 온몸으로 느낄 수 있어 좋다.

히베이라 · 도우루강

포르토가 아니라 포르투라고요?

포르토 vs 포르투, 호날도 vs 호날두, 리베이라 vs 히베이라

Porto를 포르토라고 하고, Ribeira를 리베이라로 적은 것을 인터넷에서 간혹 볼 수 있는데 '포르투'와 '히베이라'가 맞다. 포르투갈어에서 단어의 끝에 오는 알파벳 o는 '오'가 아니라 '우'로 발음하고, 단어 처음에 오는 R은 'ㄹ'이 아니라 'ㅎ'으로 발음한다. 같은 예로, 포르투갈의 유명 축구선수 호날두의 포르투갈명은 Ronaldo인데 '로날도'가 아니라 '호날두'로 불린다.

민박집 주인 오지Ozzy는 인근지역 추천을 해주면서 Costa Nova를 코스타노바, Coimbra를 쿠임브라로 발음했다. 나는 따지듯 물었는데, Costa Nova는 코스타노바로 부르면서 Coimbra의 'o'는 끝에 오지 않고 가운데 있는데도 왜 '코'가 아니라 '쿠'로 발음하냐고. 오지는 내 질문에 논리적으로 대답을 못 하고 그냥 '쿠임브라'가 자연스럽고, '코임브라'는 안 어울린다고 했다.
'이게 무슨……'

풍경 맛집. 빌라 노바 드 가이아

Ponte Luís I.

동 루이스 1세 다리와 히베이라

 **포르투의 랜드마크, 동 루이스 1세 다리**

동루이스 1세 다리Ponte Luiz 1.를 빼고 포르투를 이야기할 수 있을까?

도우루 강가의 히베이라가 이렇게 유명세를 타게 된 이유도 멋진 동 루이스 1세 다리가 바로 눈앞에 있기 때문이지 않을까 싶다.

파리의 에펠탑을 그림이나 실제로 본 이들이 동 루이스 1세 다리를 보며 에펠탑을 떠올리는 것도 무리는 아니다. 이 다리는 구스타프 에펠Gustave Eiffel이 1889년 에펠탑을 건설하기 몇 년 전, 에펠의 제자였던 테오필 세이릭Théophile Seyrig이 만든 2층 철교이다. 1886년 10월에 개통을 한 이 다리는 1.4km 남짓 동쪽에 세워진 마리아 피아 다리Ponte Maria Pia하고도 외관상 많이 비슷하다. 2층으로 된 동 루이스 1세 다리에 비해 1층으로 만들어진 마리아 피아 다리는 1877년 에펠이 설계를 했고, 이때 세이릭도 이 프로젝트에 참여하였다. 같이 작업을 하면서 스승인 에펠의 영향을 받을 수밖에 없지 않았을까 하는 생각이 든다.

다리 2층에서 바라보는 경치를 놓치면 안 되지!

상 벤투역에서 Av. Dom Afonso Henriques 길을 따라 남쪽으로 400여 미터만 걸어 내려오면 동 루이스 1세 다리의 2층으로 곧바로 연결되어 자연스럽게 다리를 건너게 된다. 45미터 높이의 다리 2층은 바닥이 온통 철판으로 되어 있고, 중앙에는 전철 메트로가 서로 교행할 수 있는 철로가 놓여 있으며, 보행자는 다리의 양쪽 가에 있는 보행로를 통해 걸을 수 있다.

동 루이스 1세 다리 2층의 메트로

재미있는 사실은, 우리나라에서는 상상할 수 없는 것을 이 다리 위에서 경험할 수 있다는 것이다. 보행로와 철로의 구분은 허벅지 높이의 가로등과 노란색 선이다. 메트로 철로와 보행로가 높낮이도 없다 보니 사람들은 보행로뿐만 아니라 철로를 구분하지 않고 아무렇게나 자기 걷고 싶은 데를 걷는다.

메트로는 다리 위에서 천천히 달리기 때문에 사람들은 급하게 비키려고 하지도 않는다. 메트로가 다니는 철로라고 해도 보행자에게 무조건 우선권을 주는 것 같은 느낌이다. 노상 전차인 트램이 도로에서 자동차와 사람들과 뒤섞여 운행하는 것처럼 이 다리 위에서만큼은 메트로도 트램과 같은 신세로 보인다.

다리 위에서 보는 포르투는 어느 전망대에서 보는 것만큼이나 예쁜 풍경을 보여준다. 여행자는 발걸음을 자주 멈추고 휴대폰과 카메라로 연신 사진을 찍는다. 가이아와 도우루강, 히베이라, 히베이라

동 루이스 1세 다리 2층의 석양

뒤쪽 언덕에 빼곡하게 자리잡은 빨간 지붕의 집들, 특히 석양 무렵에는 도우루강 너머 서쪽 하늘이 포르투의 반짝이는 불빛과 함께 아주 예쁘고 아름다운 풍경을 자아낸다.

다리 위를 지나는 메트로가 다가오면 위험해 보이는데도 바로 앞에서 사진이나 동영상을 찍는 사람들이 많다. 메트로의 외관 디자인과 색감 등이 예뻐서 피사체로도 좋다.

45미터 높이의 다리는 아파트와 비교하면 15층 정도인데 다리 위에서 내려다보는 느낌은 아파트에서보다 좀 더 아찔하다. 그런 아찔함이 있어

서 좀 더 드라마틱하게 느껴지는 것 같기도 하다.

다리의 1층은 중앙에 자동차가 다니고, 양쪽 가에는 보행자가 걷는다. 중앙의 도로는 왕복 2차선밖에 되지 않아 출퇴근 시간에는 많은 교통 혼잡이 발생한다. 포르투의 랜드마크이지만, 여기저기 구멍 난 아스팔트 바닥이 많아 상태가 엉망이다. 관광업이 메인 산업일 것 같은 포르투가 인프라에 너무 소홀한 것은 아닌가 하는 쓸데없는 생각이 들기도 한다.

보행로는 한 번에 두 사람이 교행하기 어려울 정도로 좁기 때문에 인파가 조금만 많아도 걷기에 불편하다. 게다가 나를 포함한 여행자들이 걷다 말고 멈춰 서서 히베이라에서 도우루강을 지나 가이아에 이르는 사진을 찍기 때문에 걷는 사람도, 사진을 찍는 여행자도 불편하다. 좁은 보행로 때문에 어쩔 수 없이 사람들이 종종 보행로에서 차도로 내려가게 되는데 그럴 때마다 자동차는 멈춰 서서 보행자를 기다려준다.

140여 년 전엔 고작 마차나 건너다니고, 사람도 이렇게까지 많지 않아 별문제가 없었겠지만, 포르투가 관광도시가 된 지금은 다리 폭이 너무 협소하다. 그렇다고 다리를 새로 만든다든지, 이 다리에 별도로 보행로나 차도를 만드는 것도 이상하다. 사람들은 조금 불편하더라도, 원래 있던 대로 있어야 가치가 있으니 말이다. 게다가 동쪽, 서쪽으로 가까운 곳에 다리가 다섯 개나 더 있으니 동 루이스 1세 다리는 그냥 다리라기보다는 문화유산으로 취급하는 것도 좋겠다.

또 하나 재밌는 사실은, 다리 길이가 2층은 395미터이고 1층은 172미터이다. 1, 2층의 다리 길이가 다른 이유는, 1층은 강가에서 곧바로 시작되는 데 반해 2층은 강에서 멀리 떨어진 언덕 위에서부터 시작되기 때문이다. 강가에 언덕이 급경사이기는 하지만, 다리 2층이 시작되는 곳은 강에서 멀리 떨어져 있다 보니 2층의 다리가 훨씬 더 길게 만들어질 수밖에 없었다.

동 루이스 1세 다리를 즐기는 방법은 우선, 다리의 1층과 2층을 모두 걸어서 걸어보는 것이다. 두 개의 다리 위를 걸으며 높이에 따른 느낌을 비교해 보는 것도 재미있는데 그 느낌이 확연히 다르기 때문이다.

두 번째는 히베이라광장 야외 식당 또는 카페 테이블에 앉아 맛있는 음식을 먹으며 다리를 감상하는 것이다. 낮에 보는 다리가 남성적이라면, 저녁이나 밤에 보는 다리는 화려한 치장을 한 아름다운 여성의 느낌이다. 해가 질 무렵부터 켜지는 다리 조명이 건물, 가로등 불빛과 어우러져 로맨틱한 분위기를 자아낸다.

동 루이스 1세 다리 1층

세 번째와 네 번째는 모루공원Jardim do Morro과 세하 두 필라르전망대Miradouro da Serra do Pilar에서 감상하는 다리의 풍경이다. 이곳들에선 히베이라광장, 히베이라 너머 언덕 위의 붉은 지붕과 다양한 색상의 건물들을 동 루이스 1세 다리와 함께 감상할 수 있는데, 다리와 주변 환경이 잘 연주되고 있는 교향곡 또는 맛있는 비빔밥과 같다. 서로 각기 다른 악기, 음식 재료가 섞여 하나의 아름다운 풍광을 만들어내기 때문이다.

　다리는 강의 양쪽 마을을 이어주는 도로의 기능을 하는 것이 일반적이지만, 이곳 포르투는 도우루강으로 나뉘어있는 히베이라의 풍경과 가이아의 풍경을 중간에서 연결해 줌으로써 비로소 포르투 전체가 조화롭게 빛을 발하게 된다. 이 다리 없는 포르투는 상상할 수도 없을 정도로 동 루이스 1세 다리의 존재감은 대단하다.

　포르투는 유럽의 다른 도시에 비해 치안이 나쁘지 않으므로, 반드시 해가 질 무렵에 모루공원이나 세하 두 필라르전망대 또는 히베이라광장에서 조명이 켜진 동 루이스 1세 다리의 야경을 감상해야 한다. 무조건!

동 루이스 1세 다리 야경

클레리구스탑에서 바라본 석양

석양 맛집 모루공원, 세하 두 필라르전망대, 비토리아전망대

포르투의 건물에 붉은색 지붕은 그 자체만으로도 예쁘지만, 도시의 분위기를 훨씬 더 예쁘고 로맨틱하게 만들어주는 또 다른 것이 있다. 바로 '석양!'

해가 떨어졌다고 바로 숙소로 직행을 하면 항공료에 비해 너무 가성비 낮은 여행을 하는 것이다. 해가 지기 시작하는 무렵부터 시내 여러 곳의 석양 맛집에서 반드시, 꼭 석양을 감상해야 비로소 포르투 여행을 완성하는 것이다. 포르투는 치안 상태가 좋은 편이니 약간의 주의를 기울이면서 돌아다닌다면 밤이라고 하더라도 크게 위험할 일은 없을 것이다.

히베이라광장의 노천 테이블에 앉아 저녁 식사 또는 커피나 와인 한잔하면서 석양을 감상하는 것도 좋지만, 누구나 인정하는 대표적인 장소는 모루공원, 세하 두 필라르전망대, 비토리아전망대, 동 루이스 1세 다리 등이다.

모루공원 Jardim do Morro

동 루이스 1세 다리 남쪽, 가이아에 위치하고 언덕으로 구성된 공원이다. 상 벤투역에서 포르투대성당Catedral do Porto 입구를 지나 남쪽으로 이어지는 길은 동 루이스 1세 다리의 2층으로 연결되고 다리를 지나자마자 곧바로 서쪽에 공원이 위치한다. 마찬가지로 메트로를 이용한다면, 상 벤투역

에서 메트로를 타고 바로 다음 정거장에서 내리면 곧바로 공원과 연결된다. 히베이라에서 출발한다면, 다리 1층을 지나자마자 왼쪽으로 방향을 틀고 골목길을 따라 언덕을 올라가야 하는데⋯⋯ 땀을 조금 흘리면서 언덕을 올라가야 할 수도 있다. 하지만, 골목길의 작고 예쁜 집과 모양이 제각각인 대문, 창문 등을 구경하는 재미도 있다. 모루공원의 북쪽, 즉 도우루강 쪽에는 빌라 노바 드 가이아의 강가로 연결되는 케이블카가 있어 이것을 타고 강가로 내려갈 수도 있고, 반대로 강가에서 모루공원으로 쉽고 빠르고 편리하게 올라올 수도 있다.

모루공원에는 낮에도 관광객이나 휴식을 취하는 사람들이 있기는 하지만, 이곳의 하이라이트는 노을이 지기 시작하는 저녁 무렵부터이다.

공원의 언덕에 앉아 도우루강과 포르투 시내 쪽의 경치를 감상하다 보면 서쪽 바닷가의 하늘이 붉게 물들어간다. 히베이라 언덕 위의 건물 지붕에 햇살이 붉게 비추면, 붉은 색깔의 지붕이 더욱 붉고 환하게 변하면서 낮과 다른 환상적인 풍경을 만든다.

게다가 모루공원 아래쪽 보행자 길에서는 버스커가 귀에 익숙한 팝송을 부르거나 키보드 또는 기타 연주를 들려주어 웬만한 콘서트 장이 부럽지 않다. 석양과 아름다운 풍경, 라이브 노래가 어우러져 이보다 더 로맨틱할 수 없겠다는 생각이 든다.

모루공원에서 석양을 감상하며 와인을 마시는 블로거들의 사진을 본 적이 있는데 실제로 와인을 마시는 사람들을 한 명도 찾아볼 수 없었다. 그래서 그런지 그때는 와인 생각을 전혀 하지 못했다. 블로그에서 볼 때는 엄청

멋지고 로맨틱해 보였는데……

세하 두 필라르전망대^{Miradouro da Serra do Pilar}

모루공원에서 동쪽, 바로 길 건너편에 세하 두 필라르전망대가 있다. 모루공원까지 왔다가 이곳 전망대를 들르지 않는 사람은 없을 것이다. 이국적인 성당의 모습이 멋지기도 하고, 저녁엔 예쁜 조명이 있어, 그냥 자연스레 궁금해지는 곳이기 때문이다.

이 전망대는 원래 세하 두 필라르 수도원이 있는 곳인데, 수도원 마당과 같은 곳에 사람들이 많이 찾다 보니 그냥 전망대라고 이름 붙이고 사람들의 방문을 자유롭게 허락한 데서 전망대가 유래하지 않았을까 혼자 상상

모루공원의 야경

해 본다.

이곳은 고도가 높은 데다 바로 북쪽으로는 도우루강과 낭떠러지로 이어지기 때문에 시야의 막힘없이 포르투 시내의 풍경이 한눈에 들어온다. 모루공원에서 이곳을 바라보면 역시 언덕 위에 당당히 자리 잡고 있는 모습이 위풍당당해 보이고, 전망대를 받치고 있는 축대의 움푹 들어간 부분에 많은 조명이 오렌지색으로 주변을 예쁘게 밝혀준다. 이 모습만 봐도 전망대에 올라가 보고 싶은 욕망이 마구 솟아난다.

세하 두 필라르전망대가 특별히 좋은 이유는 전망대로서 모든 걸 갖추고 있다는 것이다. 포르투에서 높은 지대에 위치하기 때문에 도시와 석양이 어우러진 풍경을 한눈에 감상할 수 있다. 바로 앞에는 모루공원과 가이아, 동 루이스 1세 다리, 다리 2층을 지나는 사람들과 전철 메트로, 도우루강, 히베이라광장, 광장 위쪽 언덕에 있는 아기자기한 건물들과 붉은색 예쁜 지붕, 포르투대성당과 클레리구스탑, 멀리 시청사 건물까지도 한눈에 감상할 수 있다. 도우루강 서쪽에는 아라비다다리Ponte da Arrábida가, 동쪽으로는 앙팡트다리Ponte Infante Dom Henrique가 보이기 때문에 예쁜 다리들을 감상하는 재미도 있다. 오렌지색으로 예쁜 조명을 켜놓은 수도원도 전망대를 더욱 빛나게 하는 것은 물론이다.

모루공원과 세하 두 필라르전망대 사이의 길 중앙에 포르투와 가이아를 잇는 메트로역이 있기 때문에 접근과 이동하기에도 편리하다. 전망대를 오르내리기가 불편하다면 툭툭을 타는 것도 한 방법!

비토리아전망대

비토리아전망대Miradouro da Vitória

비토리아전망대는 앞의 두 전망대와 달리 포르투 시내에 위치한다. 볼 사궁전의 북쪽 언덕 위에 있고 포르투대학교의 남쪽 골목길에 있지만, 골목길을 이리저리 방향을 바꾸며 걸어야 하므로 지도없이 찾아가기에는 좀 어려울 수 있다. 스마트폰으로 구글맵을 켜고 지도를 보면서 가는 방법이 제일 좋다.

좁고 구불구불한 골목길을 걸어야 하는 수고로움, 어스름한 저녁 시간에 골목길을 걸어야 한다는 부담감이 있지만, 치안이 좋은 포르투이기에 충분히 감수할 만하다.

전망대 공간이 넓지 않고, 시야가 탁 트여있는 것은 아니지만, 남쪽의 가이아와 도우루강, 포르투대성당, 동 루이스 1세 다리, 세하 두 필라르전망대, 그리고 멀리서만 바라보던 붉은 지붕을 코앞에서 감상할 수 있다는 장점이 있다.

이 전망대는 다른 전망대에 비해 찾는 이가 많지 않고 공간이 작다 보니 아기자기한 공간에서 작고 귀여운 포르투의 속살을 감상하는 것 같은 기분이 든다.

포르투대성당과 동 루이스 1세 다리도 좋아요

포르투대성당 광장의 남서쪽에서는 비토리아전망대와 비슷한 풍경을 감상할 수 있다. 도우루강과 가이아, 코앞에 위치한 빨간 지붕의 건물 위에 석양이 부드러운 빛을 뿌려준다. 게다가 저녁 무렵이면 리스본에서 출발해 스페인 산티아고 데 콤포스텔라Santiago de Compostela까지 이어지는 포르투갈 순례길 위를 걷는 순례자들이 커다란 배낭을 메고 이곳을 찾아오기 때문에 순례자와 대성당, 그리고 붉게 비치는 석양이 조화를 이뤄 숙연하고 경건한 느낌을 주기도 한다. 석양 감상이 끝나면 숙소로 돌아가든지 남쪽 골목길을 통해 히베이라로 내려가 저녁 식사나 맥주 한잔하는 것도 좋다.

동 루이스 1세 다리에서 석양을 감상하기 위해서는 말할 필요도 없이 다리 2층으로 가야 한다. 다리 중앙엔 메트로가 다니고 양쪽 가에 보행로가 있지만, 메트로가 운행하지 않을 때는 사람들이 보행로와 메트로 철로를 가리지 않고 아무 데나 걷는다. 설사 메트로가 지나다니더라도 다리 위에서는 서행하므로 크게 위험하지 않다.

특히 노을이 질 무렵, 다리 2층에는 석양을 감상하는 사람들로 꽉 차게 된다. 다리 위에서 도우루강을 눈앞에 두고 왼쪽으로 가이아와 모루공원, 세하 두 필라르전망대를 감상하는 것과 동시에 오른쪽으로 히베이라와 그 뒤 언덕에 촘촘히 들어선 빨간 지붕 집들, 언덕 위에 위풍당당하게 서있는 포르투대성당까지 한꺼번에 볼 수 있다는 장점이 있다. 다른 사람들과 함께 석양을 감상하며 그들의 즐겁고 유쾌한 에너지를 받아 흥이 더 나고, 나역시 그들에게 좋은 기운을 줄 수 있어 석양 감상에 좋은 포인트라고 생각한다. 모루공원에서는 버스커가 노래와 음악으로 흥을 돋워주고, 다리 위에서는 서로서로 흥을 돋워준다. 그냥 이 공간에 있는 것만으로도 행복함을 주체할 수 없을 지경이다.

포르투는 석양의 도시이기도 하다.

세하 두 필라르전망대에서 본 야경

특별한 형태의 가이아 식당, Casa Portuguesa do Pastel de Bacalhau

히베이라광장 건너편 가이아에선 포트와인 한 잔

빌라 노바 드 가이아Vila Nova de Gaia,

도우루강을 맞대고 포르투 남쪽에 위치한 가이아는 포르투와는 또 다른 매력이 있는 곳이다. 포르투를 찾는 여행자는 당연히 그리고 자연스럽게 가이아도 가게 되는데, 사실 가이아는 포르투하고 행정구역이 다르다. 하지만, 외국인 여행자에게 행정구역은 아무런 의미가 없다. 포르투면 어떻고, 가이아면 또 어떤가. 여행을 잘 즐기기만 하면 되는 것이다.

가이아를 찾게 되는 이유는 여러 가지가 있다. 먼저, 포르투가 예쁜 도시라는 것을 제대로 확인할 수 있다. 가이아에서 강 건너 포르투를 한눈에 바라볼 수 있기 때문이다. 남산타워에서는 남산타워를 제대로 감상할 수 없는 것과 같은 이치이다.

둘째, 도우루강 강가에는 좋은 식당과 카페가 많아 식도락을 즐기거나 여유 있게 시간을 보내기에 좋다. 야외 테이블에 앉아 커피 또는 포트와인을 마시며, 강가를 지나다니는 사람들과 강 너머 히베이라와 그 뒤에 빼곡히 늘어서 있는 건물 풍경을 감상하며, 버스커의 멋진 노래 공연에 취해보는 것도 좋다.

셋째, 포르투 풍경과 석양 감상에 최적인 모루공원과 세하 두 필라르전망대가 바로 이곳, 가이아에 있다. 포르투에 와서 석양 한 번 보지 않고 돌아가는 것은 너무 아쉽다.

넷째, 그라함Graham's, 칼렘Calem, 테일러Taylor's, 샌더맨Sandeman 등을 포함하여 많은 와이너리가 있어 와이너리 투어를 위해 일부러 방문하는 곳이기

모루공원

도 하다. 와인 만드는 것도 보고, 다양한 종류의 와인을 시음해보는 것도 재미있는 추억이 될 수 있다.

딱히 할 일 없는 토요일 점심 무렵, 집을 나서 상 벤투역으로 향했다. 가이아에 가려고 나선 것인데 이번엔 동 루이스 1세 다리를 걸어서 건너지 않고 메트로를 타려는 계획이었다. 메트로는 한 정거장 남쪽, 도우루강을 지나자마자 모루공원역에 도착한다. 이곳에서 가이아 강가로 내려가기 위해서는 케이블카를 타거나 500여 미터 내리막 골목길을 걷는 수밖에 없다. 이상하게 오늘은 걷는 게 싫어 왕복 케이블카 표를 사고야 말았다.

케이블카에서 바라보는 전망은 모루공원에서 바라보는 것과 큰 차이가 나지 않지만, 케이블카에 있다는 것만으로도 약간 흥분된다. 케이블카에서 아래를 내려다보니 거리를 걸어 다니는 사람들의 모습이 재미있다. 도

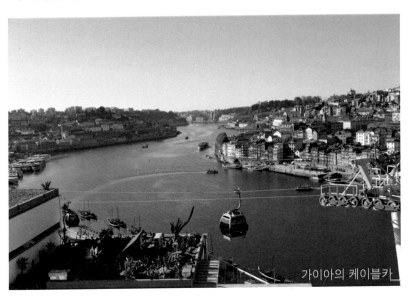

가이아의 케이블카

우루강 강가를 따라 나있는 디오고 레이테^{Diogo Leite} 거리의 보행자 통로엔
벼룩시장이 열렸는지 수많은 가게가 천막을 펼쳐 놓고 장사를 하고 있다.
토요일이라서 벼룩시장이 열린 줄 알았는데, 며칠 뒤 주중에 가보니 평일
에도 계속해서 천막 가게가 영업 중이다.

케이블카에서 내려 동쪽, 동
루이스 1세 다리가 있는 쪽으로
천천히 걸으며 동네를 구경한다.
강 건너 히베이라가 홍대 입구처
럼 많은 사람들로 복작이며 엄청
나게 활기찬 모습이라면, 이곳
가이아는 연남동처럼 고즈넉하
고 운치 있으며 여유 있는 장소
라는 생각이 든다. 차들이 다니

는 도로보다 보행자 통로가 더 넓고, 꽃밭에 꽃이 가득 피어 있어 그런 느
낌이 더 들었는지도 모르겠다.

가이아에선 와이너리 투어

와인의 동네답게 길가의 건물엔 와이너리 간판이 즐비하다. 샌더맨은
간판 이름 앞에 검은 모자와 망토를 입은 사람을 로고처럼 사용하고 있는
데 그 모습이 인상적이다. 마치 일본 오사카 건물 벽에 달리는 사람, 글리
코맨^{Glico Man}처럼 가이아를 상징하는 듯하다. 검은색으로 표현한 사람 모습

이 살짝 무서워 보이기도 하지만, 사람들에게 해코지하지 못할 것 같은 '내향적인 저승사자'라는 이미지가 떠오른다.

이곳 가이아에선 와이너리 투어가 제일 유명하다. 포르투에 와서 와이너리 투어를 하지 않고 그냥 돌아가는 사람이 얼마나 될까?

그러고 보니 난 와이너리 투어를 하지 않다. 30여 년 전, 호주 애들레이드 인근 바로사 밸리^{Barrossa Valley} 와이너리 투어를 처음으로 했을 때 신기하고 재미있었지만, 술이 약한 나에게 와인은 좀 힘들었다. 와인의 알코올 도수가 12도 정도로 높지 않지만, 와이너리에 도착할 때마다 계속해서 와인을 마셔대니 마지막 와이너리에서는 정신줄을 놓을 것만 같아 아예 마시지도 못했다. 게다가 20대 중반에 무슨 와인 맛을 알아서……. 이제 나이도 좀 먹고 했으니 와인 몇 잔 마신다고 취하진 않겠지만, 아무래도 혼자 투어에 참가하기에는 재미도 없을 뿐만 아니라 사서 고생을 하는 것 같아 결국 포기했다.

　포르투에 가는 여행자 중 가이아의 와이너리 투어뿐만 아니라 도우루강 상류의 포도밭 투어 Vine Yard Tour에 참가하는 사람도 많다. 아침 8시부터 저녁 6시경까지 하루 종일 걸리는 투어인데 교통편과 와인 시음, 와인 저장고 투어를 하고 포도밭 산책과 강에서 카약을 타는 등 다양한 체험이 장점이다.

　가이아 와이너리 투어에는 별로 관심이 없었지만, 도우루밸리 와이너리 투어는 한 번 해볼까 생각도 해봤고, 기왕 하는 김에 투어로 가지 않고 혼자 기차 타고 가서 1박 2일 정도 여유 있게 시간을 보내면 좋겠다고 생각했다. 기차 시간과 요금까지 알아봤으나, 15일의 포르투 일정이 길지 않다

모루공원

는 것을 느끼고 포도밭 여행을 포기했다.

어떤 사람들은 와이너리와 포도밭이 신기하고 특별하게 생각될 수도 있겠지만, 나는 이미 호주와 캐나다에서 와이너리 투어를 세 차례나 경험해 봤고 고향이 시골이라서 포도밭이나 산에 특별한 감정이 생기지 않는다. 다만 다 똑같은 포도밭이 아닌 데다, 햇볕이 좋은 날 한적한 포도밭과 산등성이를 천천히 걸으며 풍경 감상을 하면 천국에 있는 것 같은 기분이 들 것 같기는 하다.

한가로운 시간 보내기에 딱 좋은 가이아

도우루강 옆의 길을 따라 걷는 자체만으로도 기분이 좋아진다. 10월 중순의 포르투는 찬 바람이 살살 불지만 햇볕은 아주 따가울 정도로 날이 좋다. 난 추위를 느끼기도 하는데, 크롭티에 반바지를 입은 아가씨들도 많이 보인다. 보행로 한 편엔 난생처음 보는 꽃이 피었는데 꽃송이는 작지만, 꽃송이가 많으니 훨씬 예뻐 보이고 가이아를 화사한 도시로 빛나게 한다. 알록달록 페인트로 칠해진 건물들이 아주 예쁘고, 식당들 역시 청결하고 현대적인 감각의 인테리어라서 눈으로 보는 것만으로도

VILA NOVA de GAIA

기분이 좋아진다.

길가에 늘어선 카페와 식당의 야외 좌석에 앉아 있는 사람들은 밝고 즐거운 표정으로 같이 있는 사람들과 이야기를 나누며 음식을 먹는다. 그러고 보니 12시 30분이 넘었다. 일단 '점심이나 먹자' 하고 식당 앞의 메뉴판들을 훑어보는데 도대체 무슨 말인지 알 수가 없다. 포르투 도착 첫날, 대구^{바칼라우}를 먹어보기는 했는데 나타 형태의 바칼라우는 여행 책자에서 소개한 것과 달리 내 입맛에 잘 맞지는 않았다. 그래서 이번에 다시 한번 바칼라우에 도전하기로 하고 화이트 포트와인과 함께 주문했다.

메뉴판의 바칼라우 글자 뒤에 '30m'라고 적혀있었는데 주문할 때는 별생각이 없었다. 주문한 음식이 시간이 많이 지났는데도 나오지 않자 다시 곰곰이 생각해 봤다. 결국 이 메뉴는 '30분 걸린다(30 minutes)'는 의미로 이해를 했다. 다른 음식 없이 20여 도의 포트와인만 홀짝이다 보니 음식을 먹기도 전에 와인은 거의 바닥을 보이고, 정신은 기분 좋을 정도로 알딸딸해진다.

와인을 마시며 음식을 기다리는 시간이 그렇게 아깝지는 않았다. 어차피 할 일이 딱히 정해져 있었던 것도 아니고 마침, 화단 너머 기타를 완전 멋지게 치는 버스커가 있었기 때문에 음악 감상하는 것도 텐션을 올려 주었다.

연주 음악을 가만히 들어보니 이 젊은 친구는 기타만 치는데 베이스 기타와 드럼 소리도 들린다. 연주가 하나 끝나고 다음 연주하기 전에 하는 행동을 보니, 휴대폰으로 배경 음악을 켜놓고 본인은 기타만 연주하는 것이었다. 뭐가 됐든, 거의 스탕달 신드롬을 일으킬 정도로 멋진 음악이다. 저런 훌륭한 실력을 이런 곳에서 이렇게 낭비하면 안 되는 것이 아닌가 하는 안타까운 생각이 들었다. 하지만, 본인이 만족하는 삶일 수도 있으니 내가 뭐라 판단하면 안 된다는 생각도 든다.

버스커 앞을 지나가는 사람들과 공연을 지켜보던 사람들이 기타 케이스에 돈을 넣는다. 30여 분간 정신없이 연주하고 난 후, 통기타 케이스를 집어 들고 식당 내 내 쪽으로 걸어온다. 이 친구와 내가 제일 가까웠기 때문인지 내게 제일 먼저 왔는데, 주머니에 있던 동전 전부를 꺼내 통에 넣었다. 이런 좋은 공연 감상을 점심 먹으며 경험할 수 있다는 것이 너무 멋진 일이었다. 다만, 이 친구는 고마움이라고는 전혀 찾아볼 수 없는 심드렁한 표정을 지은 채 다른 테이블을 계속해서 돌았는데, 수입이 별로 좋아 보이지 않는다. 안타깝다.

점심을 먹으면서 지나다니는 사람들을 구경하고, 경치 좋은 도우루강과 강 건너 히베이라, 그 너머의 예쁜 건물들을 감상하는 시간을 가졌다. 식당 실내가 아니고 실외 길거리 테이블에서 점심 먹는 것을 한국에서는 거의 경험하기 힘들기 때문에 나는 당연히 거리의 테이블을 선택했다. 짧은 기간의 여행이었으면 이런 여유로움은 가지기 힘들었으리라. 15일간의 꿈속 같은 포르투 여행이 너무 좋다.

가이아의 모루공원과 세하 두 필라르전망대는 언제 가더라도 포르투의 멋진 풍경을 감상할 수 있다. 강가로 내려가 가이아의 예쁜 식당에서 맛있는 음식과 와인 한 잔도 꼭 경험해 보기를 추천한다.

가이아의 강가는 히베이라에서 동 루이스 1세 다리 1층을 통해 갈 수 있다. 다리 2층을 걸어서 건너가거나 메트로로 간다면, 내리막 골목길을 걸어 강변으로 내려가거나 모루공원에서 케이블카를 타고 강가로 훌쩍 내려갈 수도 있다. 포르투를 제대로 보고 싶다면 포르투에서 볼 것이 아니라 가이아에서 포르투를 봐야 한다. 햇볕 쨍한 한 낮에, 그리고 해 저무는 저녁 무렵에 가이아의 식당 야외 테이블에 앉아 포트 와인 한 잔 마시며 도우루 강 건너의 포르투 풍경을 꼭 경험해 보기를 추천한다.

[케이블카]

웹사이트 *gaiacablecar.com/en*
운행 10:00~6:00pm(8:00pm), 계절에 따라 변동
요금 1회권 7.00유로, 왕복 10.00유로

느긋하게 자전거로 즐기는 포르투

작은 도시, 포르투에서 체류하는 날이 15일이나 되니 가끔은 심심한 날도 있고, 무엇을 할지 고민하는 날도 있을 거라고 예상했다. 포르투가 작은 도시라서 하루 만에 둘러보고 다른 도시로 떠나도 된다는 인터넷 카페의 어떤 회원도 있었지만, 난 로컬 같은 마음으로 '체류'하자고 계획했던 터라 도시의 표면만 후다닥 보고 떠나는 여행은 애당초 마음에 없었다. 오히려 시간이 지나면 지날수록 전에 보지 못했던 도시의 비밀스러운 것들이 하나둘 새롭게 발견되는 것을 즐기려고 했다.

바닷가는 트램으로 여러 차례 가보았지만, 시간에 구애받지 않고 나의 페이스에 맞게 움직일 수 있는 느린 자전거 여행을 해보자고 마음을 먹었다. 사실 여행 출발 전에 작성한 아주 간단한 여행 일정표에도 자전거 여행이 들어있을 정도로 자전거 렌트는 꼭 해보고 싶었다. 포르투가 자전거 여행지로 적당할 것이라는 예상은, 도로가 도우루강을 따라 바다까지 이어지기 때문에 도로의 높낮이가 없어 페달 밟기에 그다지 힘들 것 같지 않다는 것이었다. 아니나 다를까, 히베이라 근처 시작 부근에서 아주 잠깐 언덕과 내리막이 있고 나머지는 모두 평탄한 강변을 따라가는 것이어서 힘들지 않았다.

강가를 따라 달리는 시원한 자전거 여행

구글맵에서 미리 렌털샵을 알아보고 찾아갔던 것이라서 동 루이스 1세 다리 바로 옆에 있는 가게를 찾는 일은 전혀 어렵지 않았다. 게다가 보행로에 많은 자전거를 전시하고 있어 찾지 못하는 것이 더 어렵다.

홈페이지에서는 'TT-3ways'라는 이름으로 가게를 홍보하고 있었지만, 정작 가게 문과 벽면에는 'Rent in PORTO'라는 글자가 더 잘 보인다. 일반 자전거와 전기자전거, 스쿠터, 자동차까지 빌려준다는 홈페이지 내용과 달리 가게에는 일반 자전거밖에 보이지 않는다. 내 관심은 오로지 일반 자전거에 맞춰져 있어 다른 녀석들에게 관심을 보일 필요도 없었다. 다음 날 실제로 자전거를 렌트하러 갔을 때는 전기자전거와 스쿠터가 길가에 주차되어 있었다.

젊은 직원은 면허증이나 여권 등에는 관심도 없고 보증금^{Deposit}으로 50유로만을 요구했다. 직원이 내민 A4 용지에 이것저것 기재한 후 자전거를 받았다. 사용 요금은 자전거를 반납할 때 소요 시간에 따라 내면 된다고 했다.

'렌트한 사람이 자전거를 그냥 가져가면 어쩌려구……'

자전거를 빌리기 위해 직원과 이야기를 나누는데 신기하게 대화가 잘 통한다. '나 원래 리스닝이 잘 안 되는데!'

여기에서뿐만 아니라 민박집 주인 오지와 히가두하고도 그렇고, 식당이나 가게에서 현지인들과 이야기할 때도 생각보다 대화가 너무 잘 돼서 신기하다. 그렇다고 그들의 말을 90% 이상 이해할 수 있는 것은 아니다. 상대가 답답해해도 난 만족하니까 됐다.

직원은 내가 어디로 갈 거냐고 물었는데 난 바닷가를 갈 거라고 했다. 그랬더니 그는 강의 북쪽보다 남쪽을 추천한다고 했다. 북쪽은 사람들이 많아 자전거 타기가 불편하지만, 반대로 남쪽은 사람도 많지 않고 경치도 좋아 자전거 타기에 더 좋을 것이라고 말했다.

사실 난 목적지가 이미 정해져 있었다. 포즈^{Foz}에 트램 타고 갔을 때 가보지 못한 퍼골라 다 포즈$^{Pergola\ da\ foz}$를 찾아보기로 했다. 게다가 포즈에서 돌아오는 길에 콘서트홀 근처의 쇼핑센터와 푸드센터를 돌고 다시 강가로 내려와 앤틱샵 알마젱Armazem을 둘러보는 것이 계획이었다.

도우루강의 북쪽 바닷가, 포즈

자전거 샵을 나와 바로 옆 동 루이스 1세 다리와 히베이라를 지나 1번 트램 종점이자 외관이 고풍스러운 맥도날드 매장 건물 앞을 지난다. 한국에서는 자전거를 차도에서 거의 타보지 않아서 차도로 자전거를 끌고 나가기가 좀 께름칙했다. 인도에서 그냥 살살 타도 되는 것 아닌가 하는 생각도 하며, 다른 사람들은 어떻게 타는지 슬쩍 봤다. 주말이라 그런지 엄청나게 많은 사람이 남녀 구분 없이 자전거를 타고 지나간다. 나처럼 바닷가 쪽으로 가는 사람들도 있고, 반대로 시내로 향하는 사람들 역시 많다. 자전거뿐만 아니라 운동복을 제대로 갖춰 입고 조깅을 하는 사람도 한둘이 아니다. 정말이지 남녀노소 중 '소'만 빼고 많은 사람이 길가에 가득하다. 의도했던 것은 아니었지만, 일요일에 자전거 렌트를 하게 되니 도로와 보행로에 사람들은 많고 자동차는 많지 않아 좋다.

'아, 정말 보행로에서는 자전거 타기가 힘들겠어.' 원래 자전거는 도로에서 타는 것이 맞고, 이곳 보행로는 돌조각들로 시공되어 있어 자전거 타기가 힘들다.

살짝 간을 보다가 나도 다른 사람들처럼 도로로 나갔다. 네 바퀴의 자동차와 같이 달려야 한다고 생각하니 겁이 나기도 했지만, 차들이 알아서 잘 비켜 가는 것을 보니 위험하다는 생각이 금세 사라졌다. '사고야 뭐 언제든

지 날 수 있는 것이고, 인명은 재천이지!'

헬멧을 쓰지 않아도 되는 것이 편하기도 하고 반면에 위험하다는 생각도 들었지만, 어쨌든 쓰지 않아도 되니 불편하지 않아서 좋다. '법적으로 문제가 없으니, 렌털샵에서 헬멧을 안 줬겠지?' 하는 변명인지 위로인지를 혼자 중얼거리기도 한다. 자전거는 집에서 타던 내 자전거와 별반 차이 없는 일반 자전거였지만, 바퀴가 더 얇고 가벼웠으며 특히 기어를 넣고 빼는 것이 너무 쉬웠다. 자전거가 가벼우니 페달을 밟는 것도 쉽다. 평소 '운동하려고 자전거를 타는데 자전거가 좀 무거우면 어때? 운동 되니 더 좋지!'라는 생각을 갖고 있었는데 오늘 가벼운 자전거를 타보니 자전거 타는 것이 더 재밌게 느껴진다.

'이래서 사람들이 1천만 원 넘는 자전거를 사는 건가?'라는 생각도 해본다.

시작이 좋다.

히베이라 끄트머리 맥도날드에서 조금 가다 보니 오늘 가려고 했던 앤틱샵 알마젱이 오른쪽에 보인다. 방문 예정이던 가게인데 아직 이른 시간인지 문을 열진 않았다. '이따가 보자!'

아무리 평지라도 그렇지 자전거가 너무 잘 나간다. 자전거 페달을 밟는 대로 앞으로 쭉쭉 치고 나가니 자전거 타는 재미가 있다. 자동차도 별로 많지 않고, 자동차가 나를 추월하더라도 빠르게 달리지 않기 때문에 위험하단 생각이 별로 들지 않는다. 뒤편으로는 포르투와 가이아의 풍경, 강 건너 언덕엔 초록의 나무숲과 붉은색 지붕의 예쁜 집, 푸른 강물이 뒤섞여 자전 거 타는데 좋은 기분을 마구마구 생성해 준다. 햇볕은 따갑지만, 바람은 상쾌하고 시원하다.

자동차와 보행로, 자전거 도로, 트램 선로까지 사람과 여러 종류의 이동 수단이 돌아다니는 바쁜 도로임에도 불구하고 일요일이라서 그런지 교통 량은 많지 않다. 한가롭게 혼자서, 혹은 친구, 연인과, 부부가 길을 걷기도 하고, 여전히 자전거 라이더들도 많이 보인다. 그러고 보니 한국에서의 주 말에 난 무엇을 하며 시간을 보냈는지 잘 기억나지 않는다. 이런 풍경은 아 니어도 걷거나 자전거 타기에 충분히 좋은 길이 많이 있는데도 말이다.

군더더기 없이 말끔하게 생긴 아라비다다리를 지나 바닷가 포즈의 트램 종점 부근에 도착했다. 키가 큰 나무가 많은 공원이 시작되고 공원 한가운 데에는 주말시장이 열렸다. 중고 물품을 판매하는 곳은 없고, 모두 새 옷, 수공예품과 과일, 채소, 음식 등이다. 한국에도 있고 호주에도 있고 뉴욕에 도 있는 다 비슷비슷한 수공예품들. 딱히 물건에 흥미를 느끼지 않지만, 혹 시나 하는 마음에 한 번 살펴보기로 했다. 자전거를 세워놓고 시장 한 바퀴 를 둘러보는데 시장이 넓은 편이 아니라서 윈도우 쇼핑이 금세 끝나버렸 다. 공예품 가게 앞에서는 사진을 찍지 말라는 제지가 들어오기도 했다.

포즈에 도착했다.

어제 봤던 등대는 오늘도 여전히 빨갛고 하얗고 예쁘다. 파도는 어제만 큼 높게 하늘로 솟구치지 않지만, 그래도 간간이 파도가 깨져서 하얀 포말이 하늘로 날아간다. 이상하게 파도가 등대 부근에만 있고 해안가에는 보이지 않는다.

'그러고 보니 이 바다는 대서양이네. 어제는 그런 생각도 못 하고 뭘 했지?' 대서양 바다가 인도양이나 태평양 바다와 다를 게 없을 텐데 괜히 감상적인 생각이 들기도 한다.

도우루강과 바다가 만나는 곳에는 딱 봐도 성이나 요새로 보이는 석축 건물, 포트 상 주앙 밥티스타 다 포즈^{São João Baptista da Foz}가 있다. 현재 포르투갈 국방과학연구소로 사용되는데 소재가 같은 바위라도 우리나라 성과는 살짝 다른 느낌이라서 카메라를 들이댄다. 이곳을 시작으로 바닷가를 따라 북쪽으로 쭉 올라가기로 했다. 이곳 해안 길은 안쪽엔 왕복 2차선의 자동차도로, 자전거 도로, 보행로로 이루어져 있다.

자전거를 타는 사람들은 대부분 자전거 의복과 헬멧을 착용하고 정말 선수들인양 라이딩을 한다. 보행로 역시 화려한 운동복으로 멋지게 차려

포즈 등대

포즈 해안가

높낮이 없는 강변 도로는 자전거 여행에 딱!

현대적인 건물의 포즈 해안가 도로

Pergola da Foz

입고 조깅하는 사람들과 편하게 산책하는 사람들, 어린아이 포함해서 가족 나들이 온 사람들 등 수많은 사람이 걷거나 뛰고 있다. 참 건강한 나라라는 생각이 들기도 하고, 밝고 기운찬 에너지를 주는 것 같아 기분이 좋다. 게다가 햇볕 좋고 예쁜 바닷가, 아름다운 아줄레주 벽면의 건물들을 보며 확실히 내가 외국에 있음을 깨닫게 한다. 이렇게 많은 사람 중에 한국인뿐만 아니라 아시안 역시 한 명도 보이지 않는 것이 신기할 따름이다.

중간중간 자전거를 세우고 사진을 찍다 보니 6km 정도밖에 안 되는 곳을 한 시간이나 걸려 왔다. 퍼골라 다 포즈Pergola da Foz는 해안도로 옆에 60~70미터 정도 길이로 파고라를 만들어 놓은 곳이다. 그리스 신전처럼 배흘림기둥 형태로, 아이보리색과 옅은 노란색의 중간 정도 색깔인데 하늘과 바다의 파란색과 대비되어 멋진 풍경을 연출한다. 파고라라고 하지만 지붕은 없고, 서까래 같은 기둥만 있을 뿐 햇볕을 막아주는 것이 없어여름엔 더우니 사진만 후다닥 찍고 떠나야 할 것 같다. 여행 도서에서 이곳

감각적인 자전거 거치대와 디자이너 이름

에 대한 정보를 보고, '꼭 가봐야겠다.'라고 마음을 먹었었는데 이것만 보러 오기에는 좀 과하다는 생각이 든다. 자전거를 타다가 자연스럽게 접할 수 있으면 사진 몇 장 찍고 지나가거나, 저녁이라면 바닷가 난간에 걸터앉아 대서양 너머로 떨어지는 붉은 태양을 감상하는 정도면 족할 것 같다. 그것도 굳이 낙조를 보려고 여기까지 올 필요는 없어 보인다. 시내에서도 충분히 멋진 석양을 감상할 수 있는 전망대가 많이 있으니 말이다.

더 북쪽으로 올라가다가 커다란 원형교차로에서 우회전하여 Avenida da Boavista 대로에 접어들었다. 한국에 있을 때 종종 산책도 하고, 자전거도 탔기 때문에 오늘 이 정도의 라이딩은 힘든 일이 전혀 아니지만 뙤약볕에 자전거를 타니 목도 마르고 슬슬 힘이 들기 시작한다. 원래 계획대로 콘서트홀Casa da Música 부근 원형교차로 아래 메르카도 봉 수세쑤Mercado Bom Sucesso로 가 점심을 먹고, 바로 맞은편 쇼핑센터 Shopping Cidade do Porto에 가서 윈도우 쇼핑을 했으나 딱히 사고 싶은 제품이 없어 아무것도 구입하지 않고 자리를 떠났다.

쇼핑센터에서 골목길을 따라 남쪽 아래로 내려오다 보니 남쪽 내리막길 아래로 보이는 도우루강과 주변 풍경이 매우 아름답다. 오래된 도시라서 건물이 오래된 것만큼 훼손된 벽도 많고 도로의 바닥 상태도 좋지 않지만,

이 모든 것들이 전체적으로는 균형이 잘 잡혀 고풍스러운 풍경을 보여준다. 이런 곳에서 산다면 정말이지 바쁜 일 하나 없이 아주 천천히, 느리게 살면서 어느 정도 게으른 생활도 죄책감 없이 할 수 있을 것만 같다. 나는 환경에 잘, 그리고 빨리 적응하는 편이니까 금세 게으름뱅이가 될 것이 뻔하다.

강가로 내려오니 바로 근처에 알마쟁^{Armazem}이 보인다. 빈티지 샵이라서 혹시나 아주 이국적인 몇백 년 된 특별한 물건이 눈에 띌까 기대했으나 그

지금은 폐업해 사라진 알마쟁

런 물건을 찾지는 못했다. 다만, 입구부터 예사롭지 않아 보인다. 그냥 다 쓰러져가는 건물 벽을 깨끗이 정리도 하지 않고 원래 건물 그대로인 지저분한 상태에서 페인트로 상호를 써놓고, 벽에 여러 개의 의자와 플라스틱 카약 하나를 매달아 놓았다. 평범한 가게인데도 신기하게 뭔가 좀 다르게 느껴진다. 촌스럽다기보다는 간판에 있는 것처럼 '빈티지'한 느낌이 들어 호기심을 자극한다. 입구 야외 바에서 마시는 커피는 단돈 1유로.

가게 내부는 꽤 넓지만, 크고 작은 물건들이 가득 차있어서 넓다는 생각

이 별로 들지 않을 정도이다. 옛날 책과 LP, 라탄이나 실로 만든 수공예 가방과 옷, 장난감, 그릇, 나무 가구, 시계, 인형, 가죽가방, 커피 그라인더, 자동차, 실제 오토바이 등 간판 그대로 빈티지한 물건들이 가득하다. 포르투와 유럽인들의 예전 생활 모습을 볼 수 있는 기회도 될 것 같아 구경을 오는 것도 좋다고 생각했다. 하지만, 안타깝게도 알마젱은 얼마 전 폐업을 하여 2024년 7월 현재, 더 이상 운영하지 않는다.

자전거 렌털샵에 돌아오니 아침에 그 많던 자전거가 서너 대만 남겨있고 모두 나가버린 상태였다. 젊은 직원 안토니우^{Antonio}는 나를 알아보고 반갑게 맞이해준다. 가게 벽에 걸린 그림 이야기를 주제로 이야기하다가 자신도 아티스트라며 타일 디자인을 만든다고 했다. 인스타그램 앱을 열고 자신이 만든 타일을 보여줬는데 딱 내 스타일의  디자인은 아니었지만, 예술가다운 풍모가 느껴진다. 난 안토니우의 인스타그램을 팔로우하고, 그도 내 인스타그램에 팔로우를 눌러서 서로 친구가 되었다.

도우루강 남쪽 길을 따라 빌라 노바 드 가이아의 해변에서 자전거 타기

다음날 또다시 자전거를 렌트해서 이번엔 어제 안토니우가 추천했던 도우루강의 남쪽 길을 따라 가이아의 바닷가로 향했다. 이쪽 도로 역시 바로 강가를 따라 나 있기 때문에 언덕이 없어 라이딩하기에 최적이다. 가이아 케이블카를 지나며 가끔 뒤돌아 도시의 풍경을 감상한다. 거리에 따라 달라지는 도시의 풍경이 예쁘다.

가이아 시내를 벗어나자, 도로와 강 사이에 보행로가 있다. 나무로 만든 보행로는 사람들이 자동차의 방해를 받지 않고 걸을 수 있고, 간혹 보행로에 설치되어 있는 나무 벤치에 앉아 잠시 쉬면서 강 건너 풍경이나 포르투와 가이아 시내를 한눈에 감상할 수도 있다. 어느 구간에서는 할아버지 몇 분이 낚싯대를 드리우고 낚시를 한다. 심지어 낚싯대를 꽂아 놓을 수 있도록 보행로의 나무 바닥에 철재로 구멍도 마련해 놓았다.

도로는 왕복 2차선으로 좁지만, 우리나라처럼 자동차가 크지 않고 많이 다니지도 않을 뿐만 아니라 빠르게 달리지 않아서 자전거를 타는 데 어려움이 없다. 게다가 도우루 강과 동 루이스 1세 다리를 중앙에 두고 왼쪽

도우루강의 낚시꾼

엔 포르투, 오른쪽엔 가이아를 한꺼번에 감상할 수 있기 때문에 이곳을 오지 않았으면 서운해서 어떻게 했을까 하는 생각도 든다.

아라비다다리를 지나 조금 더 달리니 마리나Marina가 있다. 마리나에 정박해 있는 요트만 봐도 예뻐 보인다. 요트 옆 바닷물에는 작고 앙증맞은 원

앙들이 유유히 헤엄을 치며 논다.

마리나 옆에는 패들 센터^{Paddle Center}도 있다. 내가 좋아하는 '서서 노를 젓는 SUP^{Stand-Up Paddleboard}'도 보이지만, 지금이 10월 중순이라 우리나라와 위도가 비슷한 포르투갈에서도 물놀이 하기에는 좀 어려움이 있지 않을까.

Marina

이윽고 강이 지나고 바다가 시작되었다. 가을이지만 아직 해변에서 선탠을 하거나 바닷물에 들어가 수영을 하는 사람들이 꽤 보인다. 법에서 벗어나지 않고, 윤리·도덕적으로도 문제가 없다면 자기 하고 싶은 대로 하며 살면 된다. 게다가 여기는 유럽, 포르투갈이니 우리나라 정서와는 또 다른 생각을 갖고 있을 것이다. 자기 하고 싶은 대로 하며 사는 포르투갈 사람들이 한국인보다 더 많이 행복을 느끼며 살까?

강이 끝나고 바다가 시작되면서, 오른쪽에 대서양을 끼고 남쪽으로 내려가는 길은, 왼쪽 도로 너머로 예쁜 동네가 계속 이어지기 때문에 설사 해변이 없다고 하더라도 아주 매력적인 산책, 자전거 라이딩 장소이다. 오른쪽에 파란 바다와 깨끗한 모래 해변뿐만 아니라, 해변에서 선탠을 하거나 수영하는 사람들을 구경하는 것만으로도 기분이 좋아진다. 도로는 보행로와 왕복 2차선의 자동차도로가 구분되어 있어 하이킹하기에 좋고, 자동차는 항상 느리

빌라 노바 드 가이아 해변

게 달리기에 전혀 위협적이지 않아 좋다. 도로와 보행로 모두 잘 관리되고 있고 해변 역시 쓰레기 하나 보이지 않고 더할 나위 없이 좋은 상태이다. 도로 안쪽은 초록의 잔디밭과 나무가 싱그러움을 더해주고, 해안가 대부분의 건물은 5~6층으로 키가 작아 편안함을 준다. 잔디밭의 초록과 하늘의 쨍한 파란색이 옅은 황갈색의 건물 벽과 너무 잘 어울려 건물들은 한층 고급스럽게 느껴진다.

포르투 시내의 오래된 건물이 고풍스럽고 빈티지한 느낌으로 여행자의 마음을 사로잡기도 하지만, 가이아의 해변, 이 동네 역시 현대적이며 힙하고 밝고 생기 넘치는 느낌을 줘서 살짝 기분 좋은 흥분을 일으킨다. 조깅하는 할아버지, 웃통 다 벗어 재끼고 보행로를 걸어 다니는 아저씨와 아이, 강아지와 함께 산책하는 아저씨 등 다양한 많은 사람을 길에서 만난다. 포르투 시내와는 달리, 밝고 생동감이 느껴지는데, 거기에 여유로움과 청량함도 더해져서 오늘 자전거 라이딩 선택을 잘한 나에게 칭찬 한마디를 보낸다.

어제 렌털샵 직원 안토니우Antonio가 말하길, "바닷가를 따라 아래로 내려가다 보면 바닷가에 있는 아주 작고 예쁜 성당을 볼 수 있을 거야!"

꼭 성당을 보려고 내려갔던 것은 아닌데 남쪽으로 아무리 내려가도 성당은 안보이고, '조금만 더, 조금만 더' 하면서 내려가다 보니 오기가 생겨서 성당이 보일 때까지 그냥 가보기로 했다. 혹시 달리는데 몰두해서 지나쳤는지도 모르겠다는 생각을 하면서도 계속 내려갔다. 하지만, 너무 늦게 자전거를 빌렸는지 시간은 자꾸 흐르고 뙤약볕의 햇볕은 붉은색으로 변하며 부드러워질 정도로 날이 저물어간다. 결국 내가 여기까지 내려오면서 성당을 시선에서 놓쳤다고 생각하다가 믿게 되고, 그래서 다시 돌아가며 계속 성당을 찾아보기로 했다. 끝내 성당을 보지는 못했지만, 안토니우의 제안대로 가이아의 해변은 전날 포즈보다 훨씬 더 아름답고 라이딩에도 최적이어서 대만족이었다.

자전거 타는 도중 봐뒀던 예쁜 카페로 들어가 시원한 샹그릴라를 한 잔 마셨다. 물도 준비하지 않고 자전거만 딸랑 빌려 타고 오는 바람에 출발한 지 2시간이 다 되어 가다 보니 목이 많이 말랐다. 포르투의 식당에선 손님들이 일반적으로 음식과 함께 와인, 포트와인, 맥주, 샹그릴라 등을 마신다. 끼니마다 이들처럼 술을 마시면 만수무강에 변동이 생길 것 같아 좀 챙겨 마셔야 하나 고민이 되기도 한다. 하지만 지금은 이렇게 좋은 날씨에 살짝 흥분된 기분과 너무 아름다운 풍경 속에 있는 것이 커피보다는 한

잔의 샹그릴라가 딱이었다. 뉘엿뉘엿 지는 해를 파라솔이 다 막아주지 못하지만 별로 신경 쓰이지 않는다. 오히려 새빨간 샹그릴라 잔이 햇볕을 받아 더욱 진해 보이니 더욱 맛을 좋게 하고, 자전거 여행의 기분 역시 특별하게 만들어 주는 것 같아 좋다. 카페 야외 테이블에 앉아 해변도로를 지나다니는 사람들 구경도 하고 그 너머 파란 바다와 하늘을 보는 것도 재미있다.

카페에서 샹그릴라를 마시며 구글맵을 뒤져보아도 찾지 못한 바닷가 성

당은 결국 귀국 후 PC에서 구글맵을 크게 띄어놓은 후 찾았다. 이름은 Capela do Senhor da Pedra이고, 이 성당이 있는 해변 Beach Senhor da Pedra는 유럽 280개 해변 중 가장 아름다운 해변 열 번째에 선정되었다는 간판도 세워져 있다고 한다. 아쉽다.

도우루강의 북쪽 강변이나 남쪽 강변을 따라 하는 자전거 여행은 모두 상쾌하고 즐거웠다. 해변을 따라 좀 더 오랫동안 바닷바람을 쐬는 데는 안토니우의 말처럼 해변이 길고 풍경이 예쁜 남쪽 가이아가 더 좋았다. 강변과 해변 바로 옆의 길을 달리기 때문에 언덕이 없는 것도 큰 장점이다.

다만, 안전을 위해서는 헬멧을 쓰는 것이 좋겠는데 어느 렌털샵은 주고, 내가 빌린 곳은 안 주고……. 자전거 운행은 자전거 도로가 있다면 당연히 자전거 도로에서 달려야 하고, 따로 없으면 차도에서 달려야 한다. 아무리 자동차들이 빨리 달리지 않는다고 하더라도 앞, 뒤, 옆의 자동차를 늘 주시하면서 타야 하는 것은 두말하면 잔소리이다. 자전거 라이딩은 느리게 움직이며 도시 풍경을 꼼꼼히 볼 수도 있고, 특별한 재미를 느낄 수도 있다. 걸어서 여행을 하면 힘들고 시간이 오래 걸리기도 하는데, 자전거로 하면 느긋하게 경치를 감상할 수 있고 빠르게 이동할 수도 있어 재미와 이동수단 모두 얻을 수 있다.

업체명 TT-3ways(Rent in PORTO)

주소 Av. de Gustavo Eiffel 290, 4000-279 Porto(동 루이스 1세 다리
에서 동쪽으로 50여 미터, 푸니쿨라역 바로 옆)

웹사이트 www.tt3ways.pt

[렌털 요금]

일반 자전거 4시간 11.00유로, 하루 종일 15.00유로

전기 자전거 4시간 18.00유로, 하루 종일 25.00유로

스쿠터 베스파 125cc 1일 60.00유로, 야마하 125cc 1일 40.00유로

상 벤투역

아줄레주로 장식된 상 벤투역 내부

포르투의 중심, 상 벤투역

상벤투역São Bento은 여행자들이 전철이나 기차를 타지 않더라도 여행 중 몇 번이나 그 앞을 지나다닐 수밖에 없는 위치에 있다. 걸어서 다니다가 그 앞을 지나친다거나 투어 버스인 옐로 버스 또는 트램 22번을 타면 바로 옆을 지나간다(트램 22번은 더 이상 운행하지 않음. 2024년 현재, 트램은 1번과 18번 2개만이 운행하고 있음).

포르투가 작은 도시이기도 하지만, 상 벤투역은 관광지들 중심에 자리잡고 있기 때문에 하루에도 몇 번을 지나칠 수도 있고, 내부 벽에 장식된 화려하고 웅장한 아줄레주Azulejo를 감상하기 위해 일부러 찾아오기도 하고, 누군가는 기차를 타고 시외로 나가기 위해, 또 누군가는 전철을 타기 위해

역을 찾는다.

교통, 역사, 여행이 한데 어우러진 상 벤투역

상 벤투역은 원래 16세기에 수도원으로 지어졌던 건물이 1800년대 말 철거되고 기차역으로 다시 세워져 1896년부터 철도 운행을 시작했다.

스페인이나 리스본 등 장거리 운행을 포함해 다양한 목적지로 향하는 캄파냐역Campanhã과 달리 상 벤투역은 브라가Braga, 기마랑이스Guimarães, 아베이루Aveiro, 피냥Pinhão 등 근교 도시를 목적지로 운행한다. 노란색 메트로 D선도 들르는 역이기 때문에 교통과 여행의 중심지 같은 장소이다. 전철은 지하로 내려가서 이용할 수 있고, 기차는 역사 1층에서 메인 현관 맞은편 문으로 나간 후 탈 수 있다.

1905년부터 1916년까지 제작된 역사 내부 벽면의 아줄레주 벽화는 2만 여장으로 구성되었다. 하나의 그림이 아니라 엄청나게 많은 타일 하나하나에 각기 다른 그림을 그리고 이걸 가마에 구워 타일을 만든 후 다시 퍼즐 맞추기 하듯이 벽면을 완성한 것이다.

아줄레주를 통해 레온 왕국의 독립전쟁과 전투에서 승리한 항해왕 엔리케 왕자 등 포르투갈의 역사적인 장면을 대형 작품으로 묘사하였고, 일상적인 생활상은 벽면의 작은 공간에 짬짬이 표현하였다.

100년 전에 제작된 그림들은 역사적 가치도 높아 보일 뿐 아니라 세밀하게 묘사한 전투 장면 등이 생생히 살아 움직이는 것 같은 느낌이다. 아줄레주 대부분은 청색의 타일로 구성되었으나 천장에 맞닿은 벽면 꼭대기의 아줄레주는 컬러로 제작되어 밋밋함을 가셔준다. 아치 형태의 유리창과 창문틀 화강암도 푸른색의 아줄레주와 잘 어울려 고풍스럽고 차분한 느낌이다.

포르투갈의 역사에 대해 잘 모르고 아줄레주를 보니 크게 와 닿지 않지만, 거대한 스케일의 아줄레주는 감탄하지 않을 수 없다. 다른 여행자들도 발걸음을 멈추고 사진을 찍으며 아줄레주 감상에 여념이 없다.

São Bento

아줄레주 ^{Azulejo}

아줄레주라고 하면 낯설고 쉽게 와 닿지 않을 수 있는데 한마디로 이야기하면 '타일 장식'이다. 전통적으로는 파란색으로 구워진 타일을 이용하여 성당 같은 큰 건물 외벽이나 내벽에 스토리를 가진 그림을 완성하는데, 그 규모가 엄청나게 크다. 포르투갈 각지에서 흔하게 볼 수 있는 타일 장식으로 왕궁, 기차역, 관공서, 성당, 일반 주택과 상업 건물 등 모든 건축물에서 발견할 수 있다. 건축물뿐만 아니라 도시의 자동차 도로와 보행로에도 적용하여 도로를 아름답게 만들기도 한다. 15세기 말~16세기 초 포르투갈 왕 마누엘 1세가 스페인 그라나다 알람브라 궁전을 방문했을 때 아름다운 타일 장식에 매료되었고, 포르투갈에 돌아온 후 자신의 왕궁을 아줄레주로 장식한 데서 포르투갈의 아줄레주가 기원한다.

'아줄레주'는 '작고 아름다운 돌' 또는 '윤을 낸 돌'이라는 아라비아어에서 유래하는데, 포르투갈은 이슬람 영향을 많이 받았기 때문이다. 포르투에서는 상 벤투역 내부, 까르무성당 외벽, 산투 일드폰수성당 외벽 등 유명 건축물뿐만 아니라 곳곳에 아줄레주로 장식한 건물들을 볼 수 있다.

기념품으로도 다양한 형태의 제품을 구입할 수 있는데, 예쁜 그림이 그려진 아줄레주 한 개 또는 여러 개의 아줄레주를 한데 모아 만든 세트 상품, 전통적인 형태 또는 현대적인 그림의 아줄레주 등 취향에 맞게 선택할 수 있다. 단점은, 아줄레주가 여행 중에 깨질 수 있다는 점과 타일이다 보니 무겁다는……

마누엘 1세의 지시로 만들어진 포르투갈 최초의 아줄레주는 신트라 왕궁에 여전히 남아 있다. 그 후 포르투갈 문화와 시대에 따라 포르투갈만의 독특한 아줄레주가 만들어졌고 포르투갈의 문화적 창작물로 자리 잡았다. 특히 세라믹을 이용한 도기 타일이 유명하며 각 시대별로 유행하는 양식과 스타일이 달라 이를 비교해 보는 재미도 있다.

또한, 포르투갈의 전통 시장에 가면 아줄레주뿐만 아니라 아줄레주 문양을 살린 그릇, 머그컵, 코스터 등을 판매하고 있어 기념품으로도 제격!

포르투에 왔으면 트램은 타 봐야지

포르투에서 경험해야 할 첫 번째 미션은 트램^{Tram} 타기였다. 막상 접하고 보면 별것도 아닌데 이상하게 트램에 끌린다. 10여 년 전, 런던 여행을 계획할 때도 굳이 근교에 있는 윔블던까지 가서 트램을 타 보려고 시도했고, 뉴질랜드 여행을 한다면 크라이스트처치에 가서 꼭 트램을 타 보겠다고 생각하곤 했다. 그러던 차에 처음으로 트램을 탄 곳은 호주 시드니였다.

'트램'이라는 단어가 주는 매력이 느껴져서 트램 앓이를 하는 것 같은데, 그 병을 완전히 치유한 곳은 포르투이다. 윔블던이나 시드니, 앞으로 도입하려고 하는 우리나라의 트램은 형태가 다 다르기는 하지만 미끈하게 생기고 현대적인 형태의, 그래서 편리하지만, 멋이나 매력은 없는 모양이다.

내가 원했던 트램은 바로 포르투의 트램, 리스본과 샌프란시스코 등지에서 운행하는 아주 오래된, 하지만 그래서 더 아름답게 느껴지는 고전적인 형태의 트램이다. Oldies but Goodies!

진짜 보고, 타보고 싶었던 트램을 포르투에서

트램이 포르투 여행의 머스트-두Must-do 중 단연 일등이었지만, 포르투에 도착하고 나서 사흘째 되는 날에서야 트램 타기에 나섰다. 2주 동안 지낼 동네 지리와 정보를 머릿속에 저장하는 것이 우선인 데다 날씨 등을 고려해서 목, 금요일 2일권 티켓을 구입했다. 2일권이 10유로로 비싼 편이라서 하루는 시내 위주로, 또 하루는 멀리 해변이 있는 포즈Foz까지 갔다 오려고 계획을 세웠다. 트램을 이용하는 이틀은 최대한 트램을 많이 타고 다니면서 걸을 때 느끼지 못하는 풍경을 경험함으로써 차비가 아깝지 않게 하려고 했다. 1회권의 요금이 3.50유로니까 노선별로 하루에 한 번씩만 왔다 갔다 왕복을 해도 2일권의 요금을 뽑고 남는다. 하지만, 훨씬 더 많이 탔어야 했는데, 왜 자꾸 다른 계획이 끼어들어 원래 계획했던 트램을 많이 못 탔는지 안타깝다.

과거 여러 해외여행에서 24시간 또는 48시

간 합-온 합-오프 버스Hop-on Hop-off Bus, 시티 사잇싱 버스City Sightseeing Bus를 타곤 했다. 티켓은 조금 비싼 편이지만, 하루 또는 이틀 동안 횟수와 관계없이 여러 번 탈 수 있고, 유명 관광지 위주로 노선이 구성되어 있어 잘만 이용하면 아주 편리하고 저렴한 교통수단이자 투어버스가 될 수 있다. 하지만, 비싼 값에 표를 구입해서 요금보다 더 많은 혜택을 받았다고 생각한 여행이 없다. 그래서 이번 트램 2일권은 그나마 만족스럽다.

[22번 트램] 포르투대학교-상 벤투역-바탈랴

처음으로 탄 트램은 22번 노선이다. 까르무성당Carmo 바로 남쪽이자 포르투대학교University of Porto 바로 서쪽 옆에 22번과 18번 노선의 종점이 있다. 22번 노선이 어떤 풍경을 보여줄지, 어디까지 가는지, 트램의 내부와 승차감, 운전 방식, 트램에 탄 사람들 모습 등 모든 것이 궁금했다.

종점에는 트램을 타려는 여행자로 보이는 할아버지, 할머니들이 여럿 보인다. 대학 건물 앞에는 해가림 막을 쳐놓고 옷과 수공예품 등을 판매하는 상인들도 꽤 있다. 아침 일찍 도착했는지 한참 동안 기다린 후에야 22번 트램 한 량이 들어온다. 철로는 도로 한가운데에 놓여있고, 철로가 지면 높이와 같아서 철로에 걸려 넘어지거나 발에 차일 일은 없다.

트램은 딱 봐도 빈티지한 느낌이 물씬 풍긴다. 오래되어 그런지 많이 낡아 보인다. 하지만, 지저분해 보이지는 않는다. 요즘 생산되는 미끈한 트램보다 둔탁하고 낡아 보이지만, 그래서 더 정겹고 예쁘게 보인다. 전기로 운행되는 트램이라서 트램 지붕 위에 전기선이 놓여 있다. 트램 앞과 옆면에는 예쁜 그림으로 치장되어 있어 예쁘다고 생각하고 있었는데 자세히 보니 백화점 광고이다.

트램 몸체는 철재에 페인트와 광고 시트로 이루어져 있고, 출입문과 창문은 목재로 구성되어 있다. '21세기 대중교통의 몸체가 목재로 되어 있다니……' 귀국 후 목수를 하려는 계획 때문인지 썩지 않고 만질만질한 목재 부분에 궁금증이 생긴다. 종착역에 멈춘 트램의 운전기사는 창문 앞에 끼워져 있는 번호표와 목적지 간판을 빼서 뒤쪽으로 가져가, 앞과 똑같이 생긴 뒤쪽의 제 자리에 그것들을 다시 끼워 넣는다.

운전기사의 타도 좋다는 말을 듣고 탑승을 기다리던 한 무리의 사람들이 트램에 올랐다. 기사에게 직접 2일권을 샀고, 기사는 종이 티켓을 꺼내며 펀치로 티켓에 인쇄된 현재의 달과 날짜에 구멍을 뚫어준다. 빈티지한 오래된 트램에 종이 티켓, 게다가 펀치로 구멍을 뚫어 탑승일을 표시해 주는 감성

교통수단이다. 완전 아날로그 방식이지만, 혹시 있을 못된 짓은 직관적이고 쉽게 찾아낼 수 있어 디지털 방식보다 더 효과적이다.

실내는 천장과 유리창 틀이 모두 목재로 만들어져 있다. 포르투의 트램 역사가 150년이나 되었다는데 이 트램은 몇 살이나 되었을까 궁금해진다. '그래도 100여 년은 되지 않았을까?'

세월의 흔적이 고스란히 목재에 배어 있다. 손때가 거뭇거뭇 목재에 묻어 있지만, 관리를 잘하고 있어 그런지 목재는 매끈하다. 유리창은 옆으로 여는 것이 아니라 몇십 년 전 우리나라 비둘기호 기차처럼 위아래로 여닫는 방식이다.

트램도 버스처럼 서고 내리는 역이 있다. 승객은 내리고 싶을 때 트램 중앙에 앞뒤로 길게 늘어뜨려진 줄을 잡아당겨 소리를 내면 된다. 승객이 많을 때 서서 타는 사람들을 위한 손잡이가 가죽끈으로 천장에 매달려 있는 것도 이색적이다. 하지만, 손잡이가 높이 달려 있어 키 작은 나 같은 사람은……. 탑승자가 많지 않으면 자리에 앉거나 의자를 붙잡고 있으면 된다.

트램은 앞뒤 구분이 없다. 운전기사가 운전석을 바꿔가며 운전한다. 즉, 운전석이 트램 앞뒤 양쪽에 똑같이 있다. 자동차처럼 계기판이 복잡하지도 않고, 동그란 운전대 하나에 단추 몇 개 있고, 끝이다. 기사가 운전할 때는 태블릿PC를 앞에 세워놓고 회사, 그리고 다른 트램과 위치 등 신호를 주고받으며 운전한다. 트램의 앞뒤가 따로 없다 보니 의자도 앞뒤를 변경할 수 있게 만들어져 있어, 종점에 가면 손님들이 함께 의자를 밀어 방향을 반대로 만드는 것도 재미있다.

트램은 자동차와 사람들이 다니는 일반도로를 같이 운행하기 때문에 빨리 달리지 않는다. 자동차 역시 좁은 포르투의 도로를 애초부터 빨리 달릴 생각을 하지 않을 것이기 때문에 답답해할 것 같지는 않다. 트램은 전기로 움직이는 데다 천천히 달리기 때문에 소음은 크지 않다. 승차감을 굳이 이야기할 필요는 없다. 어차피 멀리 가는 노선도 아니고 관광용으로 잠깐 타는 것이라서 승차감이 중요하지는 않다. 하지만, 생각보다 승차감이 좋았다.

트램 앞에 가는 자동차, 뒤에 쫓아오는 자동차, 길가에 서서 내가 탄 트램을 사진으로 찍는 많은 사람들, 멀리서 뛰어오기까지 하면서 열정적으로 사진을 찍는 사람들이 재미있다. 나도 트램을 타기 전엔 트램이 보일 때마다 휴대폰을 꺼내 들었는데, 나나 다른 여행자들이나 다 똑같은 생각을 가졌나 보다.

22번 노선은 까르무성당에서 출발해 클레리구스성당, 상 벤투역, 일데퐁수성당Igreja Paroquial de Santo Ildefonso을 지나 버스터미널Parque das Camélias Terminal

rodoviário 근처의 바탈랴Batalha까지이다. 푸니쿨라Funicular가 있는 바탈랴까지 가는 것은 이곳에서 푸니쿨라를 타고 언덕 아래로 편안하게 내려가 도우루강과 동 루이스 1세 다리, 히베이라에 쉽게

트램과 사람, 자동차가 같은 길로 운행

접근할 수 있도록 하기 위한 것으로 보인다.

　난 트램에서 내리지 않고 처음 탔던 곳으로 되돌아왔다. 창밖으로 보이는 포르투의 풍경은 많은 건물이 벽면에 아줄레주로 장식되어 있어, 그러잖아도 고풍스럽고 오래되어 보이는 모습이 더욱 아름답다. 길 위의 사람들은 바빠 보이는 사람이 거의 없고, 여유 있으면서 밝고 활기차 보여 그들을 보고 있는 내 마음도 가볍고 즐겁다.

　트램을 처음 탔던 포르투대학교로 되돌아오니, 검은색 망토를 두른 학생들이 대학 건물 안으로 들어가는 모습이 보인다. 해리포터가 입고 다니던 그 망토를 실제로 입고 다니는 사람들의 모습이 신기하다. J. K. 롤링이 포르투에 살면서 이들의 망토에서 영감을 받아 해리포터와 친구들에게 망토를 입히지 않았을까 하는 매우 합리적인 가정이 가능하다. 포르투에 머무는 기간 중 이들에게 망토에 관해 물어보려고 했다가 내향적인 성격에 선뜻 용기가 나지 않아 차마 물어보지 못하고 '다음에, 다음에' 하면서 미루다 보니 결국 물어보지 못한 채 포르투를 떠나게 되었다. 하지만 다행히 리스본에 가기 전, 대학의 도시 코임브라^{Coimbra}에서 망토 입은 대학생들에게 물어볼 기회가 생겼다. '교복은 맞는데 특별한 날에 입거나, 입고 싶은 사람이 자율적으로 입는다.'는 대답을 들었다. 우리나라에선 누구나 '망토'라고 알고 있는 이 천을 '망토'라고 말하니 알아듣지 못해 그들은 어떻게 부르는지 다시 물었더니 어떤 학생은 '카페'라고 하고, 어떤 학생은 '케이프'라고 했다. 결국, 영어로는 'Cape' 한 가지인데 누구는 포르투갈식으로 '카페'라고 하고, 누구는 영어식으로 '케이프'라고 한 것이라고 생각했다.

[1번 노선 타고 바닷가 포즈를 한 번에] 히베이라-트램박물관-포즈

1번 노선은 히베이라에서 바닷가 포즈를 오갈 때 이용하는 노선이다. 히베이라 부근의 종점 앙팡테^{Infante}에서 강변을 따라가며 트램박물관과 아라비다다리를 지나 종점 파세이우 알레그리^{Passeio Alegre}까지 운행한다. 이곳에서 강이 끝나고 대서양과 마주한다. 지구 반대편에 있는 대서양이라서 뭔가 특별한 느낌이 들지 않을까 예상했지만, 감성과 친하지 못한 T라서 안타깝게도 아무 느낌이 없다. 우리나라에서 보는 서해바다나 동해바다, 남해바다와도로 달라 보이지 않는다. 바다로 향해 있는 100여 미터의 방파제와 단순하고 아담한 형태의 등대, 깨끗한 모래 해변, 현대적인 형태의 바닷가 건물들이 예뻐 보인다.

시내 포르투대학교에서 포즈에 가려면, 18번 트램을 타고 종점 트램박물관에서 내린 후 같은 방향의 1번 트램으로 갈아타면 된다. 갈아타는 것이 번거롭게 느껴질 수 있으나, 그것도 재미라고 생각하거나 경치 구경을 한다고 보면 즐겁지 않을까.

종점이 있는 앙팡테 맞은 편, 강가에는 붉은색 벽돌과 예쁜 창문이 많은 4층 건물의 맥도날드가 있다. 들어가 보지는 않았지만, 건물만큼은 고풍스럽고 너무 예쁘다.

앙팡테에서 포즈로 오갈 때 강변 쪽에 앉으면 아름다운 강의 풍경과, 강변을 여유있게 산책하는 사람들을 감상할 수 있어 좋다. 강 반대편의 오래된 건물과 현대적인 건물들을 보며 이동하는 것도 나쁘지 않다. 사람들이 많지 않으면 어느 방향에 앉아도 모든 방향의 멋진 풍경을 감상할 수 있다.

[18번 노선은 시내에서 트램박물관까지] 포르투대학교-트램박물관

18번 노선은 포르투 중심 지역에서 도우루강을 따라 포즈에 갈 때 이용하는 노선이다. 까르무성당과 포르투대학교 바로 옆에서 출발해 서남쪽으로 내려가 트램박물관Tram Museum 앞까지 이어진다. 포즈에 가기 위해서는 트램박물관 앞에서 내려 1번 트램으로 갈아타야 하는데 트램이 자주 있어 많이 불편하지는 않다. 내려서 잠깐 바람도 쐬며 바로 앞에 있는 아라비다 다리와 강가를 산책하는 사람들을 구경하는 것도 좋다. 강변 도로에서는 종종 리스본에서 출발한 포르투갈 길 산티아고 순례자들을 만날 수도 있다. 시내에서 포즈 바닷가에 가려면 18번 트램을 타는 것이 정답이다.

1872년 포르투는 미국에서 전기 트램을 들여와 처음으로 운행을 개시했고, 한때 도시 전체를 트램이 커버했으나 60~70년대 들어 트램 수가 줄기 시작했다. 내가 여행 중이었던 2021년엔 단지 세 개의 노선만이 운행했다. 게다가 2024년 현재에는 22번 노선도 사라져서 1번, 18번 등 단 두 개의 노선밖에 남지 않았다. 언덕이 많은 포르투에 노인 여행자가 많은데도 트램 수익성엔 별로 도움이 안 되나보다. 수익성만 따지다 보면 포르투의 매력들도 하나둘 사라져서 결국 매력 없는 그저 그런 도시가 되어 버리면 어쩌나 하는 쓸데없는 걱정도 해본다.

'나는 운 좋게도 그나마 세 개 노선이 운행할 때 여행했었구나!'

아라비다다리와 1번 트램

트램

정식 명칭 Porto Tram City Tour
요금 2024년_ 1회 Single Ticket 5.00유로, 2회 2 Trips Ticket 7.00유로, 2일 2
Days Ticket 10.00유로
노선 1번(히베이라 근처의 앙팡테-포즈) 09:00~17:35, **18번**(까르무성당-트램박
물관) 까르무성당 출발 08:15~17:45
표 사는 곳 트램 운전기사, 트램박물관, 호텔, 여행사, 키오스크
주의 트램 운전기사에게 구입하면 싱글 티켓과 2일권 구입. 나머지는 모두 2일권만
구입 가능
웹사이트 www.stcp.pt/en/tourism/porto-tram-city-tour

툭툭

포르투에서 예쁜 트램 외에 귀염귀염한 툭툭^{Tuk Tuk}도 많이 볼 수 있다. 툭툭이의 외관을 원색으로 예쁘게 디자인한 것들이 많아 길에서 툭툭이만 보면 눈이 자동으로 돌아간다.

툭툭은 원래 태국 방콕의 삼발이가 원조인데 이것이 어떻게 포르투까지 갔을까? 포르투에 여행자가 많아 언덕이 많은 관광도시에서 수익성이 있을 것이라고 판단했을까?

짧은 여행이었지만, 여행자가 아니라 로컬 사람처럼 살아보자고 작정한 포르투였기에 툭툭을 비롯해 이것저것 건너뛰고 여행했더니 아쉬움이 많이 남는다. 오기를 부린 것도 아니고, 툭툭이를 볼 때마다 늘 예쁘다고 생각까지 했는데 탈 생각은 전혀 하지 못했다.

'아무리 그래도 그렇지 어떻게 툭툭이를 안 타봤을까?'

1번과 18번 트램이 만나는 트램박물관 앞

[보너스_ 물가]
커피 가격은 참 착한데, 밥은 왜 그리 비쌀까

참고_ 보너스 편의 물가는 2021년 10월 기준임

커피를 좋아하는 한국인에게 포르투는 사랑스러운 도시이다. 에그타르트^{Egg Tart}를 좋아한다면 포르투갈 여행 내내 행복한 나날을 보낼 수 있다. 커피와 함께 먹는 에그타르트는 꿀조합인 데다 가격까지 저렴해서 3천 원으로도 커피와 에그타르트를 세트로 먹을 수 있다.

커피, 에그타르트와 함께 채소, 과일, 물, 맥주, 와인 등 음식 물가는 저렴해서 식료품에 대한 부담이 크지 않다. 하지만, 식당에서 먹는 음식 가격은 저렴하지 않다. 농산물과 와인, 물값 등은 저렴한데도 식당 메뉴판의 음식값은 비싸게 느껴진다. 잠깐 들렀다 가는 여행자라도 한 끼에 2~3만 원인 메뉴가 부담스러울 수 있다.

일부 음식 가격에 대해 소개한다.

+ 커피

포르투의 커피 가격은 커피숍과 식당에 따라 다르지만 대체로 착한 가격에 마실 수 있다. 커피와 에그타르트를 같이 계산해도 우리나라의 커피 한 잔 가격이다.

나타 리스보아^{Nata Lisboa} 에스프레소 싱글 1.00유로, 카푸치노 3.20유로
스타벅스 그랑데 아이스 2.60유로
마제스틱 카페 아이스 아메리카노 6.00유로, 에스프레소 5.00유로, 카푸치노 6.50유로
Nata Sweet Nata 에스프레소 1.25유로, 마끼아토 1.40유로, 아메리카노(아이스/핫) 1.50유로
카페 Manteigaria 아이스 아메리카노 2.00유로
그 외 식당이나 카페에서 아메리카노는 일반적으로 1.50~2.00유로, 라떼/카푸치노는 4.00유로

+ 와인

가이아의 식당 포트와인 5.50유로(한 잔)
마제스틱 카페 포트와인 8.00~9.00유로(한 잔)
슈퍼마켓 저렴한 와인은 한 병에 1.99유로, 2.99유로, 2.44
　　유로에도 구입 가능

+ 맥주

슈퍼마켓 200ml 6개 2.99유로, 슈퍼복 330ml 6개 4.49
　　유로, 사그레스 1L 1.60유로, 서머스비 애플 1.50
마제스틱 카페 5.00~6.00유로

+ 에그타르트(나타)

에그타르트는 포르투갈 현지에서 '나타'라고 불린다.
에그타르트 원조 나라에서 먹는 장점 세 가지! 제일 처음 만
든 곳이라는 상징성, 원조이지만 가격은 우리나라의 반값밖
에 안 되는 경제성, 마지막으로 겉바속촉은 기본이고 맛있
어서 얌얌

nata sweet nata 1.20유로
마제스틱 카페 2.00유로
나타 리스보아(Nata Lisboa; 산타 카타리나거리, 상벤투 역
　　앞) 1.40유로
까르무성당 앞 야외식당 3.50유로(커피, 나타2)
카페 Manteigaria 1.10유로

+ 물

슈퍼마켓 1.5L 0.40유로, 5.6L 1.69유로
집 앞 가게 500ml 1.50유로(기념품점에서 사는 것이니 당연
히 비쌌겠지)
일반적인 식당 2.00유로

+ 군밤

길거리 한 봉지 2.50~3.00유로

+ 레스토랑 식사

농산물은 저렴하지만, 식당 음식값은 부담스러운 가
격이다. 메인 메뉴에 샐러드, 와인이나 물을 추가하
면 2~3만 원이고, 오히려 한식당의 음식값이 합리적
으로 보인다.

한식당 온도 비빔밥 15.00, 치킨 15.00유로, 김치볶
음밥 14.00유로, 불고기 한 상 18.50유로, 제
육볶음 한 상 17.50유로, 김치찌개 16.50유로,
짜장면 13.50유로(2024년 7월 기준)
한식당 식탁 비빔밥 12.90유로, 제육볶음 13.00유
로, 오징어덮밥 14.00유로, 한식 세트메뉴
19.80유로(김치, 반찬, 밥, 국, 메인 메뉴), 꼬마
김밥 5.50유로(2024년 7월 기준)
맥도날드 햄버거 세트 6.70유로
아스토리아호텔 폭립+모히또 20.00유로
Restaurante Cais do Bacalhau(가이아 식당) 파인애플+햄+물+포트와인+밥+샐러

드 25.00유로, 프란세지냐 7.00~9.50유로, 스테이크 16.50유로, 대구요리 Flavored Cod with Thyme 15.40유로, 문어요리 Levare Roasted Octopus 18.50유로

마제스틱 카페 시저샐러드 23.00유로, 파스타 36.00유로, 스테이크 33.00유로, 샌드위치 20~30유로, 토스트 10~12.00유로

코스타노바 식당 햄버거+주스+칩스 7.50유로, 맥주+고기가 들어 있는 샌드위치 9.50유로, 문어+포트와인+샐러드+물(포즈) 33.30유로, 오징어+빵+맥주 8.90유로, 바칼라우(대구)+포트와인 17.50유로, 피자+맥주 8.20유로

+ 기타

콜라 1.50유로

클레리구스탑 창문 사이로 비추는 석양

클레리구스성당 탑에서 보는 석양

 르투 생활 10일쯤 되니 나도 살짝 동네 사람 같은 느낌이 드는 건지 오늘은 집 밖에 나서는 것이 귀찮다. 딱히 뭘 꼭 해야 하는 게 아니라서 집에서 그냥 빈둥거리는 것도 다 여행의 일부라는 자기 합리화를 하며 침대에서 벗어나질 않는다.

아직 가보지 않은 곳도 많지만, 그렇다고 꼭 모든 곳을 다 가봐야 한다는 생각이 드는 것도 아니다. 하루 종일 집에서 빈둥대다 어쩔 수 없이 오후 4시가 되어 집을 나섰다. 아침은 빵과 과일, 채소로 해결했는데 점심도 같은 걸 먹기 싫어 굶었다. 느지막이 집을 나선 이유는 어딜 가야겠다는 목적지가 있어서가 아니라 점심을 굶어 배가 고픈 데다 저녁까지 연달아 두 끼를

거르면 안 될 것 같은 생각에 귀찮음을 과감히 물리치고 힘을 냈다.

집을 나서려고 하는데, 주방에서 오지와 히가두가 청소하고 있다. 이 집을 떠날 날도 얼마 남지 않기도 하여 두 사람에게 사진을 찍자고 했더니 오지는 옷이 좀 그렇다고 하고, 히가두는 얼굴이 부스스하다면서 처음엔 사양했지만, 이내 흔쾌히 밝은 웃음을 보이며 같이 사진을 찍었다.

현지인 같은 게으름

기분 좋게 집을 나와 적당한 식당에서 오늘 첫 끼이자, 마지막 끼니를 해결하려고 했는데 적당한 식당을 찾지 못하고 계속 걷는다. 자연스레 포르투대학교 옆 트램 종점까지 왔고, 더 걸을 생각이 없어 까르무성당 앞 카페에 들어갔다. 여긴 다른 곳과 달리 테이블에서 주문하는 게 아니라 실내에서 먼저 주문하고 테이블에 가 있으면 직원이 주문한 음식을 갖다주는 시스템이었다.

나타 두 개와 아메리카노 아이스를 주문했다. 코로나로 인한 비대면 판매 때문인지 손님이 계산대 앞 기계를 이용해 직접 결제해야 한다. 기계에 카드를 꽂거나 돈을 넣으면 결제가 되고 잔돈도 나오는 신기한 기계를 사용하고 있었다.

카페 밖의 테이블에 앉았다. 나타가 맛있다. '나타는 다 맛있는 거 아닌가?' 하는 생각이 든다. 딱히 무슨 계획이 있던 것은 아니었지만, '아이패드를 가지고 나왔네!'

나타 두 개를 후딱 해치우고, 태블릿을 꺼내 그림 그리기 앱을 켜고 까르무성당을 그리기 시작한다. 성당 외관이 전체적으로 회색으로 되어 있고 청색 창틀과 문살 일부, 목재 문 하나 등 색깔이 재미없어 이걸 굳이 그려 넣어야 하나 고민하다가 그냥 그리기 시작했다. 성당 벽과 지붕에 장식이 많은 옛 성당을 그려야 하니 신경 쓸 게 많다. 일부 생략하고 그리면 수월할 텐데 뭘 빼야 할지 몰라 되도록 다 그려 넣다 보니 시간이 많이 걸린다.

우연히 올라간 클레리구스탑

시간은 6시가 되어간다. 집에 돌아오는 길에 클레리구스탑 입구를 지난다. 클레리구스탑은 포르투의 웬만한 장소에서는 모두 눈에 띄는 곳이라서 포르투의 이정표 역할, 즉 랜드마크 역할을 한다. 높이가 75미터로 그렇게 높은 편은 아니지만, 높은 지대에 위치할 뿐만 아니라 키 낮은 건물들로 이루어진 포르투에서는 내 숙소를 포함해 히베이라, 가이아, 포르투대성당, 시청 앞 등 모든 곳에서 이 탑이 보이기 때문이다.

탑을 지나며 입구에 서있는 경비에게 나도 모르게 몇 시에 문을 닫느냐고 물었다. 7시란다.

'그럼 한 시간이나 시간이 있으니 한 번 올라가 볼까?' 하는 생각에 일단 들어갔다. 직원은 표를 내어주며 잘 간수하라고 한다. 표를 사고 들어가자마자 작은 방이 나타나는데, 250여 년 전에 돈 좀 있는 사람이거나 주교, 추기경 정도 되는 사람들의 대형 액자와 거대한 테이블 그리고 내 키만한 의자가 놓여있다. '이런 정도의 물건을 배치한 공간을 가지려면 보통 신분의 사람은 불가능하겠지. 아니면, 거인이 살았거나?'

화살표를 따라가니 성당 내부를 원형으로 돌며, 자연스럽게 성당 내부의 모든 시설을 관람하면서 탑으로 이어진다. 탑에 올라가는 것만 계획했는데, 나도 모르게 성당 내부를 전부 보고 말았다. 건물 동쪽의 성당을 1층에서 시작해 3층까지 계단을 통해 돌아 올라가며 성당 중앙 내부를 감상할 수 있다. 미사 시간에 신자가 많으면 2층과 3층 난간에서도 미사를 보는 사람들이 있을 것 같다.

성당 내부는 대체로 황금빛 찬란한 색으로 예쁘게 장식되어 있고, 대형 파이프 오르간이 웅장하고 아름답다. 토요일, 일요일에 영어 미사가 열린다고 하는데, 이때 참석하면 파이프 오르간 소리를 들을 수 있지 않을까 하는 생각도 해본다. 성당에 발길을 끊은 지 오래되었지만, 거대하고 아름다운 자태의 오르간 소리가 궁금하다.

클레리구스탑

관람객 몇 명은 의자에 앉아 성호경을 긋고 기도를 한다. 그들이 앉은 의자를 보니, 우리나라 성당에 있는 의자와 똑같은 방식의 나무 의자이다. 신자들은 미사 도중 보통은 앉아 있지만, 미사예절에 따라 서기도 하고 무릎을 꿇기도 하는데 무릎을 꿇을 때 이용하는 나무 장치가 우리나라의 그것과 똑같이 생겼다. 사실 천주교가 바티칸에서 시작해 추기경, 주교, 신부 등 체계적인 시스템으로 운영되기 때문에 교회 형태나 시설, 미사 예절 등

클레리구스성당 내부

이 동일하거나 비슷할 것이라고 예상할 수 있다. 하지만, 무릎 꿇을 때 사용하는 나무 의자가 우리나라 의자와 똑같이 생겼을 것이라고는 예상하지 못했다.

바로크 양식의 이 성당은 그 스타일만큼이나 색상과 장식이 화려하고 아름답다. 벽과 천장은 대리석으로 보이는데, 색상이 흰색뿐만 아니라 옅은 보라색과 주황색, 분홍색 등 색상이 다채롭다. 게다가 아주 복잡하고 화려한 문양으로 장식된 황금색의 장식이 벽과 천장 곳곳에 펼쳐져 있어 신자가 아니더라도 충분히 감탄하게 만든다.

성당 감상이 끝나고 드디어 탑이 시작된다. 탑이 시작되기 직전, 직원이 다시 한번 입장권을 스캐닝한다. '이래서 잘 갖고 있으라고 했구나!'

체코 프라하처럼 붉은색 지붕이 예쁜 포르투⋯⋯ 와우!

탑이 시작되자 계단이 아주 좁다. 두 사람이 간신히 교행할 수 있는 넓이라서 사람을 마주치면 한 사람이 기다려주면서 오르내린다. 6시가 넘은 시

클레리구스탑 전망대에서 본 포르투 시내

간이라 햇살이 부드럽게 도시 건물의 지붕을 빛내준다. 계단 곳곳에는 코로나19 감염을 예방하기 위한 방법으로, 2미터 간격 유지에 대한 안내판이 설치되어 있다. 간간이 보이는 창으로 밖을 내다보면 빨갛게 변해가는 포르투의 건물 지붕이 예쁘다. 올라가는 도중에는 동쪽과 북쪽의 풍경이 많이 보인다. 동쪽으로 성당의 빨간 지붕을 비롯해 연두색 돔을 갖고 있는 포르투 시청사가 보인다. 주택인지 상가인지 구분은 안 되지만, 눈에 보이는 많은 건물의 지붕은 테라코타처럼 붉은색 지붕이고 벽체는 흰색이나 갈색의 석재로 치장되어 고풍스럽고 앤틱한 느낌을 준다. 북쪽으로 탑 바로 앞에는 올리브공원Jardim das Oliveiras의 초록초록한 색상이, 그 뒤에 펼쳐진 수수하지만, 그래서 더 정감 있는 몇백 년 된 건물과 대비되며 인상적인 풍경을 자아낸다. 올리브공원이라서 올리브 나무가 초록의 잔디밭 여기저기에서 자라고 있다.

좁은 돌계단을 천천히 돌아 올라가 유리 없는 창문 너머 포르투 시내의 풍경을 감상한다. 해가 지려고 하는 시간이라서 햇살은 가시가 돋쳐 있지 않고, 아주 부드러운 손길로 세상을 어루만지는 느낌이다. 하지만, 아직 하늘이 붉게 달궈지지 않았고 빨갛게 물이 들 구름도 보이지 않는다. 하늘에 붉은빛이 아주 살짝 들었는데, 눈에 보이는 건물의 지붕은 붉은색 테라코타 기와이고, 벽면은 갈색이 대부분이라서 은은하고 감칠나는 듯한 풍경이다.

탑의 꼭대기에 올라가니 눈앞에 보이는 건물 지붕이 더 붉게 물이 들었다. 남쪽으로 도우루강과 세하 드 필라르 수도원이 보인다. 포르투대성당도 눈앞에 있는데, 안타깝게도 동 루이스 1세 다리는 대성당에 가려 보이지 않는다. 포르투의 메인 지역은 도우루강 강가가 있는 남쪽이지만 클레리구스탑에 올라와 보니 동서남북 모두 예쁘고 아름답다. 사방 모두 한꺼번에 볼 수 있고 포르투 시내 전체를 감상할 수 있어 멋지다.

별생각 없이 성당 앞을 지나다 갑자기 올라왔지만, 이 결정이 신의 한 수였지 않았을까 싶다. 체코 프라하나 체스키 크룸로프의 건물 지붕이 이런 풍경으로 유명하지만, 나는 클레리구스탑에서 이와 유사한 아름다운 풍경, 특히 석양 무렵의 멋진 풍경을 경험했다. 이 순간만큼은 체코가 부럽지 않다.

예기치 않은 선물을 받은 것 같아 더 기분이 좋아졌다.

클레리구스성당

성당 건축은 1732년 시작하여 1750년에 완공되었고, 탑은 성당 건축 후 1754년에서 1763년까지 이어짐

건축은 이탈리아 건축가 니콜라우 나소니^{Nicolau Nasoni}가 맡았고, 규모는 높이 75m에 6층 꼭대기까지 240개의 계단으로 이루어져 있으며, 포르투의 랜드마크임

웹사이트 www.torredosclerigos.pt/en

입장료 8.00유로(타워 입장료+성당+클레리구스 박물관)

가이드 투어 9.50유로(타워 입장료+클레리구스 박물관+성당)

운영시간 09:00~19:00(끝나는 시간 30분 전에 마감)

영어 미사 토요일 5pm, 일요일 9:30pm

JARDIM das OLIVEIRAS

감동 감동, 파두

내일이면 포르투를 떠나 코임브라를 거쳐 리스본으로 내려간다. 딱히 할 일이 없었지만, 오후에 숙소에서 나와 마제스틱 카페에 갔다. 다른 곳에 비해 비싸지만, 가끔은 좀 격식 있고 고풍스런 느낌을 즐길 수 있는 공간에 머무는 것도 좋지 않을까 해서…….

커피를 마시며 파두^{Fado} 공연장을 찾아본다. 포르투에서 보름씩이나 머무는데 아직 파두 감상을 못했다. 미루다 보니 떠나는 날이 코앞이다. 오늘은 파두를 좀 감상해야 할 텐데, 어디로 가야 할지 모르겠다.

…….

다른 곳은 모르겠고, 동 루이스 1세 다리 건너기 전 서쪽 건물 허름한 2

층에, 입구는 그냥 주택처럼 보이고, 어영부영 대충 공연하는 것처럼 보이
는 공연장이 생각난다. 문 앞에 A자형 간판
을 세워놨는데 간판도, 입구 현관문도, 건
물도 모두 제대로 된 공연장이라는 생각이
들지 않아 '저곳 말고 다른 공연장이면 될
것 같은데……'라며 공연장 앞을 지날 때
마다 되뇌곤 했다. 하지만, 너무 허름한 것
처럼 보인 이곳이 홈페이지도 있고 리뷰도
좋을뿐더러 숙소에서도 가까워 결국 이곳
으로 결정했다.

동 루이스 1세 다리 앞 파두 공연

오후 5:40에 공연장이 있는 2층으로 올라갔다. 공연료는 15.00유로. 너
무 저렴하다 싶으니, 공연의 질이 걱정되기도 하고 좋기도 하다. 우리나라
트로트나 민요를 별로 좋아하지 않는 편이라서 포르투갈의 전통 노래 파
두 역시 별로이지 않을까 싶은 걱정도 들고, 심장을 얼마나 후벼 팔지 기대
가 되기도 한다.

공연하는 공간은 크지 않아 만석이 된다 하더라도 50명도 채 못 들어갈
것 같다. 빈 공간에 접이식 의자만 놓여있다. 공연 시간은 좀 남아있고, 직
원은 10분 전에 들어오면 된다고 해서 잠깐 나갔다가 들어와 보니 그새 많
은 사람들이 자리에 앉아 있다. 비어 있는 의자 아무거나 앉았더니 직원이
와서 내 자리를 다시 안내해준다. 그리고 보니, 표 구입할 때 직원이 내 이
름을 알려달라고 했는데, 아마도 손님 인원과 그룹에 맞게 좌석 배치를 미

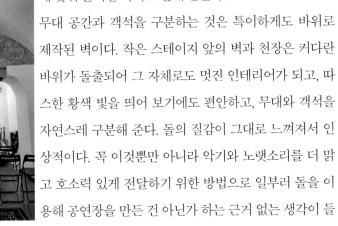

리 해놓았나 보다. 의자는 하나, 둘, 셋 이런 식으로 놓여 있고, 손님은 인원에 맞춰 준비된 자리로 안내 받는다.

무대 공간과 객석을 구분하는 것은 특이하게도 바위로 제작된 벽이다. 작은 스테이지 앞의 벽과 천장은 커다란 바위가 돌출되어 그 자체로도 멋진 인테리어가 되고, 따스한 황색 빛을 띠어 보기에도 편안하고, 무대와 객석을 자연스레 구분해 준다. 돌의 질감이 그대로 느껴져서 인상적이다. 꼭 이것뿐만 아니라 악기와 노랫소리를 더 맑고 호소력 있게 전달하기 위한 방법으로 일부러 돌을 이용해 공연장을 만든 건 아닌가 하는 근거 없는 생각이 들기도 했다.

노랫말은 몰라도 가슴 저미는 파두

6시가 되고, 두 명의 아저씨가 대충 집에서 놀다 나온 것 같은 옷을 입고 나와 악기의 음을 조율한다. 기타 연주자는 조율이 금방 끝났는데, 만돌린 같은 포르투갈 기타를 조율하는 연주자는 한참을 더 조율한다. 그렇게 계속 조율만 하는 줄 알았는데, 구렁이 담 넘어가듯 자연스럽게 공연이 시작되었다.

기타 소리는 중저음과 고음이 잘 어우러져 아름답게 들리고, 마이크 장치를 전혀 사용하지 않았는데도 아주 맑고 또렷하게 들려 더 감동적이다. 기타 연주 중에 한 가수가 파두를 부르면서 등장한다. 키가 크고 호리호리

한 30대 중반~40대 초반의 여가수인데 얼굴이 주먹 두 개 정도로 아주 작다. 가수이니 노래를 잘 부르는 건 당연한 것이지만, 성량이 좋고 높은 음도 자연스럽게 부르는 모습이 신기하다. 호소력 깊고, 음색 또한 풍부해서 우리나라의 '한'과 비슷하다는 파두가 더욱 매력적으로 느껴진다.

내가 생각하는 백지영의 노래는 전체적으로 슬프다. 그녀가 부르는 '내 귀에 캔디'처럼 빠른 템포의 노래도 슬프게 느껴진다. 이 파두 가수가 부르는 빠른 노래도 슬픔이 가득 묻어난다. 노래뿐만 아니라 낯선 손짓과 몸의 움직임 역시 파두의 노랫소리를 타고 슬픔을 배가 시킨다. 발은 바닥에서 거의 떼지 않은 채 손과 몸, 머리를 움직이는데, 가사의 의미는 모르더라도 손짓과 얼굴 표정에서도 슬픔이 묻어난다.

무어인의 600년 강점기와 스페인, 영국 등과의 잦은 전쟁, 거친 대서양에 나가 고기잡이를 하다가 죽은 남편과 가족 등에 대한 슬픈 가사가 파두의 주요 내용이지 않을까 생각해 본다. 생각이 여기에까지 미치니 노래가 더욱 슬프게 느껴진다. 우리나라와 비슷한 점이 많은 포르투갈이다.

첫 번째 노래를 아주 슬픈 표정과 손짓으로 절절하게 표현하길래 이 가수가 원래 우수에 젖은 사람이지 않을까 측은지심을 갖고 있었는데, 노래 하나를 끝내고 나서 활짝 웃으며 인사말을 건네는 모습을 보니 좀 생뚱맞아 보이기도 한다. 하지만, 관객에게 말할 때의 손짓과 표정 등이 전체적으로 노래 부를 때의 느낌을 그대로 갖고 있다. 절대 서두르지 않고 천천히 움직이고 조곤조곤 말하는 모습이 천생 가수라는 생각이 든다.

공연 중간에 빨간 포트와인 한 잔

공연 시작한 지 30분이 채 지나지 않아 인터미션이 있었고 카운터의 직원 아저씨가 카트에 포트와인을 싣고와서 공연 관람자들에게 한 잔씩 돌린다. 내가 와인에 문외한이라서 그런지 화이트와인이든 레드와인이든 맛은 다 똑같은 것 같다. 고등학교 때 마시던 700원짜리 진로 포도주 맛 같은데……. 그러고 보니 진로 포도주가 꽤 수준 높은 와인이었던 것인가?

휴식 이후에는 박수를 유도하는 노래도 진행되었는데, 이상하게 박수를 빠르게 치는 노래에서도 슬픔이 묻어난다. 하지만 사람들이 모두 즐거워하고, 나도 재미있다.

파두와 기타소리가 너무 멋있다. 15유로를 내고 감상하며 든 생각 중 하나는 '이렇게 돈 내고 일부러 오기도 하는데, 거리 버스커가 연주하는 걸 들으면서 1유로 주는 것도 아까워하는 건 너무 염치없는 것 아닌가?'였다. 그러면서 다음부터는 되도록 잔돈이라도 좀 주자는 결심을 했다. 꼭 멈추지 않더라도 길을 걸으면서 듣는 음악 소리에 기분이 좋아지게 되는 것이니 잔돈이 있으면 당연히 주리라 마음 먹었다.

오늘 객석의 손님은 40여 명이고, 공연자는 스페셜 게스트까지 포함해 네 명이 공연했다. 하루에 한 번 밖에 공연을 하지 않기 때문에 표가 모두 팔려도 수입이 많지 않을 것 같다. 구경꾼인 내가 왜 사장님과 공연가 수입까지 걱정하는 것인지 모르겠지만, 그들 모두 경제적으로도 넉넉해서 좋은 공연을 더 많은 사람들에게 계속해서 보여줄 수 있으면 좋겠다.

[파두 공연장]

업체명 Fado no Porto por Casa da Guitarra
주소 Av. Vimara Peres 49, 4000-545 Porto
웹사이트 casadaguitarra.pt/en, www.portofado.com
공연 시간 18:00 또는 19:30, 21:00
요금 18.00유로, 인터넷에서 16.20유로로 할인도 가능
참고 사실 공연가들은 이 공연장뿐만 아니라 포르투 내 다른 공연장과
　　　파두 공연을 하는 식당 등 여러 곳에서 공연

파두 FADO

편안한 분위기의 민박집 공용 안뜰

상 벤투역 맞은편의 가성비 좋은 에어비앤비

대체로 숙소를 여행 중심지에서 멀리 예약할수록 가격이 저렴해진다. 하지만, 외곽에서 중심지까지 걸으면 힘이 들고, 차를 이용하면 비용이 발생하기 때문에 중심가에 숙소를 정하는 것이 결과적으로 더 좋을 수 있다. 이 경우, 여행하기 편리하고 시간을 아낄 수 있을 뿐 아니라 비용 차이가 나지 않거나 오히려 더 저렴할 수도 있어 숙소 선택은 매우 중요하고 신중해야 해서 시간이 오래 걸린다.

위치, 집 상태, 집주인 모두 완벽했던 민박집

이번 여행에서는, 운이 좋게도 저렴한 가격으로 도시의 한가운데서 숙박을 했다. 호텔은 너무 비싸 선택할 수 없었고, 가격이 저렴하면서도 교통이나 이동에 편리한 민박을 찾으려니 어렵고 시간이 오래 걸렸다. 일주일 정도의 단기 여행은 좋은 숙소에서 편안한 시간을 보내는 것이 중요하지만, 장기 여행은 비용도 중요하기 때문에 골치가 아플 수밖에 없다. 한인 민박도 찾아봤지만, 코로나 시기라서 그런지 선택할 수 있는 민박이 없어 결국 에어비앤비Airbnb에서 예약하고 결제를 했다.

상 벤투역 바로 맞은편에 있는 아파트라서 전철 메트로를 이용하기에도 편리하다. 포르투 시내를 관광명소별로 정리했을 때 숙소를 가운데 놓고 북쪽으로 시청사와 맥도날드, 북동쪽에는 산타 카타리나거리, 볼량시장, 자라, H&M, 마제스틱 카페, 쇼핑몰이 있다. 북서쪽으로 클레리구스성당과 포르투대학, 렐루서점, 까르무성당이 위치하며, 남쪽으로는 볼사, 도우루강, 동 루이스 1세 다리, 히베이라광장, 가이아가 있다. 모두 걸어서 이동할 수 있어 교통비도 아낄 수 있다. 밖에 나가 놀다가 피곤하면 숙소에 들어와 잠깐 쉬었다 다시 나가는 것도 좋은 방법이다.

다만, 출국 직전인데도 내가 이해할 만한 주소를 주인이 주지 않는 데다, 사람들의 왕래가 많은 도시 한복판이라서 밤늦게까지 시끄럽거나 안전문제가 발생하지 않을까 살짝 걱정되기도 했다. 하지만, 에어비앤비 리뷰 란에는 이 집에 대해 긍정적인 내용이 많고, 집 앞에 사람들의 이동이 많으면 오히려 범죄 등이 발생할 수 있는 가능성이 낮을 수 있기 때문에 걱정을 좀 치워버리려고 했다.

포르투에 도착한 첫날, 공항에서 숙소까지 메트로를 이용했다. 안단테 카드를 자판기에서 구입하고, 트린다데역에서 환승한 후 상 벤투역에서 내렸다. 역 지하에서 지상으로 올라와 바로 앞의 횡단보도를 이용해 길을 건너면 바로 이 앞에 숙소가 있는데, 운이 없었던 것인지 하필이면 많은 출구 중에 집에서 가장 멀리 떨어진 출구로 나와 버렸다.

집주인 히가두^{Ricardo}가 정확한 번지를 주지 않은 것 같아(주소 Praça Almeida Garrett n42) 좀 고민이 되기도 했지만, 이메일로 알려준 '집 찾아가는 방법'을 확인하면서 한 걸음 한 걸음 찾아갔더니 생각보다 쉽게 찾을 수 있었다. 평소 성격대로 쓸데없는 고민을 너무 많이 했다.

집은 상 벤투역 바로 맞은편에 위치한다. 기념품 가게와 바로 붙어 있는 짙은 녹색의 문 앞에 가서 인터폰으로 숫자 버튼을 누르니 곧바로 문이 열리고 한 청년이 나왔다. 그가 내 짐을 4층까지 들어 올려줬고 집에 들어가서야 서로 인사를 나눴다. 집주인인 줄 알았던 이 청년은 이름이 '오지^{Oji: Osvaldo}'라고 했고, 집주인 히가두는 친구인데 잠시 후에 도착한다고 했다. 얼마 지나지 않아 히가두가 나타났는데 둘 다 키와 덩치가 크고, 턱수염에 구레나룻까지 있어 남성미 뿜뿜이다. 또한, 잘생긴 외모와 상냥한 말투에 미리 걱정했던 것들이 금세 사르르 사라지고 앞으로 여기서 지낼 시간이 재미있겠다는 상상을 했다.

주방에는 냉장고와 오븐, 전자레인지, 세탁기, 가스레인지, 커피포트, 토스터, 각종 주방용품이 갖춰져 있다. 집주인이 살고 있는 집이라서 생활에 필요한 모든 것이 갖춰져 있는 점이 장점이다.

주방 옆에는 거실이 있는데 그 모양이 좀 특이하다. 천장이 그렇게 높지 않은데, 한쪽 벽에서 마주하는 다른 한쪽 벽까지 두꺼운 판을 대어 다락방을 만들었다. 그 모양이 꼭 2층 침대를 허공에 만들어 놓은 것 같은 모습이다. 내가 오래전부터 아파트 거실에 이런 형태의 다락방을 만들고 싶어했는데 그것이 현실로 눈앞에 펼쳐진 것이었다. 그것을 제외하면 일반적인집의 거실과 다르지 않다. 식사를 위한 테이블과 의자, 수납장, 대형 TV, 소파, 물결무늬 모양의 벽면 책꽂이, 캣타워가 있다. TV는 넷플릭스가 설치되어 있어 한국에서도 보지 못했던 '오징어 게임'을 보기도 했다.

히가두와 오지로부터 거실과 방, 화장실, 주방 및 도구 등 집에 대한 설명을 듣고 있는데 고양이 한 마리가 계속 따라다닌다. 하늘색 눈을 갖고 있

오지   히가두

는 이 녀석은 흰색과 밤색의 털이 그라데이션 되어 상당히 예쁘다. 동물과 별로 교감이 없는 내가 봐도 너무 예쁘고 고급스러워 보인다. 잠시 뒤 검은 고양이 한 마리가 더 나타난다.

주방에서 히가두, 오지와 잠시 이야기하고, 내가 사용할 방이 있는 위층으로 계단을 따라 올라갔다. 현관문이 있는 4층에는 거실과 주방이 있고, 계단을 따라 올라간 5층에는 히가두와 내 방, 공용 화장실이 있다. 방은 좁지도, 너무 넓지도 않은 딱 적당한 크기이다. 붙박이장과 수납장, 퀸사이즈 침대와 협탁으로 구성되어 15일간 머무는 데 불편함이 없어 보인다.

히가두와 방에서 이야기하는데 아래층에서 만난 고양이 두 마리가 방에 들어와 침대 위로 냅다 올라간다. 히가두는 고양이에 대해 나에게 양해를 구했는데, 나는 이참에 동물과 친해져 보기로 마음먹었으니 신경 쓰지 말라고 말했다. 하늘색 눈을 갖고 있는 고양이는 너무 귀여운 짓을 많이 하는 데 반해, 검은 고양이는 시크하다. 침대 위로 창문을 통해 들어온 햇볕을

쬐면서 자는 고양이 두 마리가 마음을 편안하게 해준다.

와이파이가 집 전체에서 잘 잡히기 때문에 노트북과 휴대폰 사용에도 문제가 없다. 매일 일기를 쓰려고 노력했고, 주로 거실 테이블에서 작업을 했다. 이때 고양이들이 놀아 달라고 찾아오면 잠깐씩 놀아 주기도 하며 숙소에서의 시간을 즐겼다. 평소 동물과 친해질 일이 없었는데, 같은 공간 안에서 고양이와 생활하며 노는 것도 꽤 재밌는 경험이었다. 고양이들이 자꾸 찾아와 놀아 달라고 하는 모습을 보면서 집을 잘 선택했다고 생각했다.

자정까지 강제 노숙

하루는 오후에 낮잠을 잤다. 낮잠만 자면 시간이 성큼성큼 지나간다. 저녁 7시에 간신히 잠에서 깨어 카메라를 들고 집을 나섰다. 집의 현관문을 닫는 순간 깨달았다. 오른쪽 주머니가 허전하다는 것을. 이 주머니는 집 열쇠 두 개가 들어가 있어야 하는데 손으로 만져보니 아무 것도 느껴지지 않는다.

'헉, 망했당! 어떻게 되겠지 뭐.' 하고 그냥 히베이라로 향했다. 나이를 먹으면서 예민했던 성격이 계속 뭉개지고 둥글게 변하면서 심각하게 걱정하는 일이 많지 않아졌다.

히베이라에서 야경과 사람들, 버스커의 음악을 감상하며 저녁을 먹었다. 저녁 식사가 끝나갈 무렵, 9시가 넘어 히가두에게 문자를 보냈는데 20여 분이 지나 답변이 왔다. 다른 도시에서 일하고 있는데 11시에나 온다고 한다. 히가두와 집에서 종종 마주치기도 하고, 그때마다 인사하고 짧게 이야기를 나누기는 했지만, 그와 친구 오지가 무슨 일을 하는 지는 물어보지도, 그들이 먼저 얘기를 해주지도 않았던 터라 이 상황이 고민스러웠다.

'망했당!'

일단 집 근처로 오자는 심산으로 렐루서점까지 와서 서점 맞은편 바에서 아메리카노를 주문했다. 맥주, 와인, 양주를 파는 곳인데 다행히 커피도 판매한다. 포르투가 치안상 꽤 안전한 도시라서 늦은 밤이라고 하더라도 큰 걱정은 하지 않았지만, 아무래도 인적이 드문 곳보다는 사람이 많은 장소가 더 안전할 것이라고 판단해서 사람이 많은 이 동네로 정한 것이었다. 생각대로 렐루서점 앞에는 아침에도, 밤 10:20인 지금도 바글바글한다. 게다가 밤이 깊어지니 점점 더 사람들이 많아지는 것 같다. 심지어 여기 앉을 때만 해도 옆 테이블엔 아무도 없었는데 이제 꽉 차서 커피 한 잔 주문했던 나는 자리를 내줘야 하나 고민할 정도이다.

11시에 히가두가 돌아온다고 했고 일찍 올 수도 있으니 미리 가서 기다리자는 심산으로 10:30에 카페에서 일어났다. 집 앞의 길 역시 한밤중인데도 엄청나게 많은 사람들이 서성이거나 걷고 있다. 이 사람들이 다 포르투갈인인지 외국에서 여행 온 사람들인지는 모르겠지만 하여간 많다.

11시가 넘어가는데 히가두가 나타나지 않는 데다 연락도 없다. 내가 다시 문자를 보내야 하나 고민을 하기도 했지만, 너무 보채는 것 같아 '조금만 더, 조금만 더'를 연발하다 보니 11:20이 되었고, 드디어 문자가 왔다. 일이 늦게 끝나서 이제야 출발한다며 35분 정도 걸린다고 한다.

'그럼 12시는 돼야 하는 거네?'

결국 12시가 넘어 오지와 히가두가 도착했고 그들은 미안해했지만, 그럴 필요가 없다고 말했다.

강제로 야간 체험을 했지만, 결론적으로는 나쁘지 않았다. 오히려 이런 일이 아니었으면 한밤중에 밖에 있을 일이 없었을 텐데, 강제로라도 야간 체험을 할 수 있어 좋았다. 난 호기심이 많은 사람이니까.

야외 공간에 야박하지 않은 호텔과 호텔 안뜰

이 민박집에서 가장 눈에 띈 것은 내 방의 창문이다. 창문 밖 풍경이 너무 예쁘다. 작지만, 초록의 잔디밭과 알록달록한 건물 색상, 파라솔과 비치 의자 등이 적절히 조합되어 하나의 예쁜 풍경을 만든다. 게다가 유리창이 너무 깨끗해서 유리가 없는 줄 알았다가 손으로 만져보고 나서야 유리창이 깨끗해서란 것을 알았다.

'조만간 창문 너머 저곳으로 내려가 한가로운 시간을 보내 보자.'하고 도착한 첫날에 마음먹었다. 오지에게 물었더니 안뜰에 들어가도 된다고 한다.

한 번은 맥주 한 캔과 휴대폰, 이어폰, 책을 가지고 털레털레 안뜰에 갔는데, 이 멋진 공간에 사람들이 거의 없어 조용하니 좋았다. 호텔 InterContinental Porto 근처 파라솔 아래에만 몇몇 사람이 있을 뿐이다. 초록의 푹신한 잔디밭에 앉을 수도 있고, 높이가 꽤 되는 콘크리트 위에 앉을 수도 있지만, 하얀색 천으로 만들어진 비치 의자에 앉았다

한 분위기의 민박집 공용 안뜰

모든 것이 완벽하다. 심지어 무료 와이파이도 빠르다.

바람이 시원하게 불고, 하늘은 파랗고 건물 벽의 알록달록한 색깔도, 초록초록한 잔디도, 테이블과 의자도 너무 완벽하다. 내 방의 창문도 보인다.

정갈하게 유니폼을 차려입고 쟁반을 들고 지나가던 호텔 식당 직원이 "Everything's alright?" 하며 묻는다. '친절하기도 하지.'

비치 의자에 앉아 한참 동안 음악을 듣고, 휴대폰 만지작거리고, 일정 계획도 고민해 본다. 그러다가 문득 주변 분위기를 살펴보니 '테이블과 의자가 놓인 이 공간은 호텔 식당 이용자들을 위한 공간이지 않을까?' 하는 생각이 들면서 마음이 좀 불편해졌다. 오지는 내가 이곳에 출입하는 것에 대해 괜찮다고 했지, 남의 사업장에 들어가 주문도 안 하고, 게다가 캔 맥주를 갖고 가서 마시는 것까지는 생각을 못 했을 것이다.

직원이 두 차례나 "Everything's alright?" 하며 에둘러 말한 의미도 모르고 눈치 없이⋯⋯.

'에라 모르겠다.' 모른척하고 그냥 눌러앉아 있기로 했다. 페이스북에 사진도 올리고, 여행 책도 보면서 시간을 즐겼다.

'장기 여행을 하니 이런 여유를 즐길 수 있구나~~.'

어떻게 보면 호텔 입장에서는 내가 손님도 아니고 단지 예의 없는 무단 시설 사용자라서 나를 쫓아내도 뭐라 하지 못했을 텐데 그냥 이용할 수 있게 해줘서 지금도 고맙게 생각한다. 대신 며칠 뒤, 이곳에 다시 가서 맛있는 폭립Pork rib을 즐겼다. 5성급 호텔임에도 다른 식당과 비교했을 때 가격이 비싸지 않고 맛도 좋아 가성비가 높았다.

민박집이 갖고 있는 좋은 환경 덕분에 더 좋은 경험을 할 수 있었던 좋은 기회였다.

소소한 아쉬움

일반적으로 꽤나 예민하고 까탈스러운 성격이지만, 여행 중에는 숙소에서 이상한 냄새가 난다든가, 너무 지저분하다든가, 계속되는 시끄러운 소음이 아니라면 딱히 신경 쓰지 않는 편이다. 묵었던 숙소는 전체적으로 컨디션이 좋았고, 집주인 히가두와 그 친구 오지도 좋은 사람들이었으며, 동물과 처음으로 오랫동안 같이 생활했던 것도 큰 즐거움 중의 하나였고, 관광명소의 한복판에 위치한 것은 신의 한 수이기도 했다.

불편했던 점은 크게 없었는데 그래도 이야기를 해보자면, 포르투갈에도

민박집 주방

우리나라처럼 전자키를 도입하면 좋겠고, 당분간 불가능할 것으로 보이지만 건물에 엘리베이터가 있으면 편리하겠다고 생각했다. 난 잠깐 머무는 것이라서 크게 불편함은 없었지만, 짐이 많은 여행자나 장기 체류자에게는 매일 계단을 오르락내리락하는 것이 다소 부담이 될 수 있을 것 같다.

　가장 아쉬운 것은 친절했던 집주인과 그 친구와 함께 더 많은 이야기를 하지 못한 것이다. 보름이나 있었는데 함께 이야기한 시간은 전부 합쳐봐야 1시간도 넘지 않을 것 같다. 그래도 근처 여행지로 브라가나 코스타노바 등을 추천받아 다녀온 것은 아주 잘한 일이었다.

에어비앤비 www.airbnb.com
15일 숙박비 685,804원(45,720원/일)

J. K. 롤링은 가 본 적 없다는 렐루서점과
커피를 마시며 소설을 썼다는 마제스틱 카페

해리포터의 작가 조앤 K. 롤링[J. K. Rowling]이 호그와트 학교를 구상하는데 영감을 얻었다고 해서 전 세계 해리포터 팬들의 무한 사랑을 받게 된 렐루서점[Lello Livraria]. 영국인 롤링은 포르투갈의 포르투와 코임브라 등에서 한때 살기도 하면서 해리포터 소설을 썼다. 하지만, 독자들의 상상과 다르게 롤링은 포르투에서 생활할 때 렐루서점의 존재에 대해서 몰랐다고 하며 만일 알았다면 한 번 방문 했을 것이라고 자서전에서 언급했다고 한다.

재미있는 것은, 저자가 그랬거나 말았거나, 심지어 입장료를 받는 이상한 서점인데도 전 세계의 사람들이 끊임없이 방문한다는 것이다.

서점은 클레리구스성당과 포르투대학교 근처에 있어 여행자들은 하루에도 몇 번씩 서점 앞을 지나쳐 다닌다. 서점 앞은 서점에 들어가려고 하는 사람들이 항상 100여 미터의 줄을 서고 있다. 나는 줄을 서기도 싫고 기다리는 것이 엄두가 나지 않을 뿐만 아니라, '이렇게까지 해야 하나?' 하는 생각에 서점에 들어갈 생각을 전혀 하지 않았다. 그러던 중 체류 2주가 다 되어 가는 마당에, 갑자기 렐루서점이 생각나서 뜬금없이 방문을 했다.

사실 건물만 놓고 보면 이게 렐루서점인지 뭔지 전혀 알아차릴 수가 없다. 서점 유리창에는 읽기 힘든 블랙 레터로 적힌 'LIVRARIA CHARDRON'과 주소 번지수 '144'가 있다. 1869년 건물주 CHARDRON이 국제서점을 낸 것을 기념해서 붙여 놓았을 것 같다. 창문 위 벽면에는 'LELLO'라고 적혀있는 것 같은데 이 글자들도 역시 블랙 레터로 되어 있어 처음 며칠은 이곳이 렐루서점인지도 모르고 지나다녔다. 사람들이 항상 줄을 길게 서 있길래 '혹시……' 하는 생각만 가졌었다.

입장료 받는 렐루서점

서점 오픈 시간은 9시 30분인데 9시에도 긴 줄이 있었던 걸 기억하고 조금 일찍 오려고 했다. 하지만, 막상 도착하고 나니 8시 55분이었고 다른 날에 비해 다행히 사람들은 많지 않다. 앞에 25명 정도 있었는데 들어갈 때쯤 되니 내 뒤에 100여 명이나 줄을 서 있다. 사실 줄 서는 것을 작정하고 온 것에 비해 많이 기다리지 않아 대만족!

2021년 서점 입구

입장을 기다리다 보니 서점 앞 길가에 온라인 5유로로, 현장 6유로 간판이 보인다. 예약은 생각도 못 하고 있던 터였지만, 막상 기다리는 시간이 지루하기도 하고, 예약을 하면 할인도 되니 예약을 하지 않을 이유가 없었다. 휴대폰으로 서점 사이트에 들어가 회원 가입 없이 방문자 상태로 표를 구입했다. 복잡한 듯 보였지만, 시키는 대로 따라서 결제하고 이메일로 결제 내역을 받는 데 성공했다. 20여 분 걸려 종료했으니 기다리는 시간이 금세 흘렀고, 전혀 지루할 틈이 없었다. 예약에는 날짜와 시간대를 입력해야 하고, 신용카드가 필요했다.

입장이 시작되었다. 입장하는 사람들을 보니 입구에서 직원이 휴대용 단말기로 손님의 휴대폰을 스캐닝한다. 한꺼번에 손님이 몰리는 것을 피하기 위해 시간대별로 인원을 정해놓고 차례로 입장 시킨다.

서점에 들어서니 내부는 옆으로 폭이 좁고, 앞뒤로 기다랗게 펼쳐져 있으며 천장이 높고 2층으로 되어 있다. 들어가자마자 이 서점의 상징물, 2층으로 올라가는 구불구불한 계단과 천장의 꽤 큰 스테인드글라스로부터 들어오는 아름답고 환한 빛이 사람들을 맞아준다. 2층으로 올라가는 중앙 계단은 목재가 아니라 콘크리트라는 걸 본 적 있는데 계단 바닥은 나무가 아니지만 난간은 목재로 보인다. 목수인 내가 봐도 목재 같은데……

계단 바닥은 빨간색도 아니고 시뻘건 진홍색으로 칠해져 있어 좀 흉측해 보인다. 반면에 계단 아랫부분은 나무라고 생각되는데 꽃과 나뭇잎, 원형과 다양한 기하학적 문양으로 조각되어 있어 상당히 화려하고 고급스러운 느낌을 준다.

천장의 스테인드글라스 창문은 길이 8m, 폭 3.5m의 철 구조물로 만들어져 있다. 흰색 바탕에 빨간색과 노란색, 파란색, 하늘색 등 다섯 가지 색상으로 제작되었는데 디자인이 복잡하지 않지만, 심플하면서도 고급스럽고, 밝고 예쁜 빛을 실내에 들게 한다. 전 세계에서 가장 예쁜 스테인드글라스를 가진 서점이라고 자기들이 이야기하지만, 스테인드글라스를 설치한 서점이 또 있을까를 생각해 보면……

롤링이 이 서점에 와 본 적이 없다고 자서전에서 밝히기는 했으나, 이곳을 찾는 사람들은 그런 내용에는 관심이 없는 듯하다. 서점에 대한 뉴스를

누군가에게서 들었거나, 아니면 소셜미디어 등에서 흘려들은 말을 근거로 이 서점을 해리포터 관련 명소 또는 성지 같은 것으로 인정하는 듯하다. 롤링이 이곳에 왔었든, 그렇지 않았든 서점에서 가장 많이 보이는 책은 해리포터 시리즈이다. 일반적인

렐루서점

형태의 서점처럼 서가에 책을 빽빽이 꽂아 놓은 것도 아니다. 책등이 아니라 앞표지가 전방을 향하도록 꽂은 것이 대부분이라서 책이 그렇게 많지 않아 보인다. 책을 판매해서 이윤을 남기는 보통의 서점이라기보다는 롤링이 만들어 낸 해리포터를 등에 업고 이곳을 찾는 수많은 여행자로부터 받는 입장료가 서점의 주 수입원일 것 같다.

어렸을 때 많이 읽었던 돼지삼형제나 돈키호테 등의 동화가 눈에 많이 띈다. 어린 왕자 초판본이 있다고 했으나 이것까지는 찾아보지 못했다. 책에는 별 관심이 없어 구입하지 않았고, 렐루 이름과 원색의 색상으로 그림이 그려진 에코백을 기념으로 몇 점 구입했다.

짧은 서점 구경이 끝나고 밖에 나와 보니 그새 2백여 명이나 되는 줄이 만들어져 있다. 30여 분 일찍 나와 기다린 보람이 있었다는 생각에 기분이 좋다.

우리나라 사람뿐만 아니라 서양인이든 아시안이든 유명 영화나 드라마 속의 장소에 관심이 많고, 다른 사람들이 즐겨 찾는 곳 역시 나도 가봐야겠다는 생각을 똑같이 한다는 생각이 들었다. 너무 많은 기대와 관심을 갖고 가는 것보다는 가벼운 마음으로 한 번 들르면 괜찮은 여행 추억이 되지 않을까 싶다.

웹사이트 www.livrarialello.pt/en
입장료 8.00유로(2021년 여행 시에는 예약 5유로, 현장 6유로)
운영시간 9:00am~7:30pm(2021년 여행 시에는 오픈 9:30, 계절에 따라 시간 변동)
주소 R. das Carmelitas 144, 4050-161 Porto
참고 예약 시 날짜와 시간을 입력해야 하고, 티켓이나 바우처를 서점 입구에서 제시(스마트폰이나 인쇄물)

마제스틱 카페

마제스틱 카페MAJESTIC CAFE를 목적지로 하진 않았다. 포르투 여행을 준비하면서 해리포터 이야기도 듣고, J. K. 롤링에 대한 이야기도 들으면서 자연스레 마제스틱 카페에 대해 알게 있었다. 산타 카타리나거리R. de Santa Catarina에 위치한 자라ZARA를 찾아가다 보니 어느 순간 카페가 바로 눈앞에 놓여 있었다. 폭이 좁은 건물의 앞부분은 중앙에 출입구가, 양 옆면은 유리창이다. 앞면의 기둥에 해당하는 부분은 흰색 대리석이 사용되었고, 문장처럼 보이는 용과 마누엘 양식 느낌을 주는 밧줄을 잡고 있는 어린아이들, 괴물로 보이는 얼굴 등이 장식되어 있어 한눈에 봐도 오래되어 보이는 데다 고풍스럽다. 1922년부터 100년이 넘도록 마제스틱 카페라는 이름으로 운영하고 있고 한 때 침체기도 겪었다지만, 롤링이 이곳에서 해리포터를 집필했다는 이야기가 전 세계 사람들에게 전해지면서 포르투를 찾는 많은 외국인에게 머스트-고Must-go의 장소가 되어 버렸다.

출입문 앞 외부 양옆으로는 두세 명이 앉을 수 있는 작은 원형 테이블 네개가 놓여 있다. 이들을 지나쳐 곧바로 실내로 들어가 제복을 입은 직원의 안내에 따라 빈자리에 앉았다. 100여 년 전에 만든 건물이라서 그런지 실내 인테리어가 고풍스러워 보인다. 천장은 흰색과 옅은 핑크빛으로 칠해져 있고, 금색의 띠도 둘리어 있다. 전등은 펜던트 형식으로 나름 장식되어 있으나 전혀 컬러풀하거나 화려하지 않다. 벽면에는 짙은 색의 목재를 조각해 만든 장식물이 가득하고, 목재와 알 수 없는 소재로 장식한 사람 얼굴과 아이들의 조각상이 포인트 역할을 한다. 테이블은 목재 다리와 스커트

마제스틱 카페 앞

위에 흰색 대리석을 올렸고, 의자도 테이블과 동일한 목재로 화려하게 장식되어 있다. 실내 인테리어와 테이블, 의자가 모두 세트인 것처럼 일관성 있는 모습이다. 흰색 셔츠를 제복으로 입은 직원 복장 역시 클래식한 환경과 잘 어울려 보기 좋다.

이와 동시에 어떻게 보면 마누엘 양식Manuel Style이 활용된 상당히 고풍스럽고 아름다운 카페처럼 느껴지기도 하지만, 또 다른 측면에서 보면 분위기가 상당히 산만하고 무질서해 보인다. 인테리어 소재가 그런 느낌을 주기도 하고, 30여 개의 테이블이 너무 다닥다닥 붙어 있어 옆 테이블에서 사람들이 귓속말을 해도 다 들릴 것 같다.

마제스틱 카페 내부

실내 인테리어뿐만 아니라 제복을 입고 서빙을 하는 직원들의 모습에서, 마제스틱 카페가 흔한 아무 카페처럼 보이지 않고 좀 더 격식 있고 전통을 중시하는 고급 카페인 것처럼 보인다. 롤링이 아니었어도 충분히 인기가 있을 만한 카페라고 보인다. 게다가 산타 카타리나거리에 있으니 늘 많은 사람들이 찾을 수밖에 없겠다는 생각도 든다. 팟캐스트에서 들은 '이곳의 직원은 손님들이 커피를 마시고 빨리 나가길 바라는 것 같다.'는 이야기는 내가 경험한 현실과는 사뭇 다른 느낌이다. 분명 사람이 많지만, 여러 차례 방문했고, 그때마다 혼자 테이블을 차지하고 있었지만, 앞에서 이야기한 직원들의 그런 눈치는 전혀 느낄 수 없었다.

여행 전에는 마제스틱 카페가 그냥 커피숍이라고 생각했다. 가게 이름에 '카페'라고 들어 있으니 더더욱 그렇게 생각할 수밖에 없었는지도 모르겠다. 하지만, 자리에 앉고 나서 테이블 위에 놓여 있는 큐알코드^{QR Code}를 통해 휴대폰으로 메뉴를 보니 커피만 서비스를 하는 것이 아니라 다양한 서양식을 판매하는 레스토랑이다. 실제로 주변 테이블에 있는 사람들 대부분은 술과 함께 식사하고 있다.

눈이 마주친 직원이 내게로 오고, 난 아이스 아메리카노를 주문했다. 잠시 뒤 직원은 유리컵에 커피를 담아 가져다준다. 손잡이 없는 파카 글라스 컵에 얼음과 커피가 들어 있는 것이 이상하게 식욕을 감퇴시킨다. 컵 받침대는 여리여리한 느낌의 도자기이고, 티스푼은 티스푼이라기보다는 수프 먹을 때 사용하는 숟가락처럼 생겼다. 컵은 따뜻했는데 커피는 시원하다, 다행히.

커피 맛은 음… 산도가 높은 것인지 베트남 커피 맛이 강하게 나며, 한약 같은 느낌도 든다. 커피 맛도 잘 모르는 시골 사람이라서 커피를 제대로 즐기지 못한 것 같은 느낌도 든다. 그래도 시원하게 아이스로 커피를 마시니 갈증이 해소된다.

코로나 상황이다 보니, 일단 사람들이 너무 많고 코로나가 걱정되기도 하는 데다 실외가 아니라 실내라서 오래 있고 싶지 않았다. 계산은 수시로 지나다니는 직원에게 손짓으로 불러 현금을 주니 카운터로 가져간 다음 다시 잔돈을 영수증과 함께 내준다. 식당이든 레스토랑이든 외국은 비용 계산할 때가 불편해서 우리나라의 결제 시스템이 너무 훌륭하다는 생각을 다시 한번 해본다.

마제스틱 카페는 이름값이 있는지 가격이 많이 비싸다. 아이스 아메리카노를 4.00유로씩이나 주고 마셨다. 다른 곳은 1유로 조금 넘는 편인데……

웹사이트 www.cafemajestic.com

주소 Rua de Santa Catarina, 112, 4000-442 Porto

금액 에스프레소 5.00유로, 아메리카노 6.00유로, 카푸치노 6.50유로, 치즈와 햄이 들어간 토스트 12.00유로, 씨저 샐러드 23.00유로, 스파게티 30.00유로, 마제스틱 스테이크 33.00유로, 프란세지냐 27.00유로, 나타 3.00유로

커피와 QR코드

마제스틱 카페

마누엘 양식

15세기 말~16세기 초, 포르투갈 왕 마누엘 1세에 의해 행해진 포르투갈의 독특한 건축 양식.

포르투갈의 많은 그림과 조각 예술, 건축물에서 '바다', '배'와 관련 있는 것들을 찾아볼 수 있는데 해초, 어패류, 닻, 밧줄 등이다. 2면이 바다인 포르투갈이 해상에서 위용을 떨치던 것과 연관이 있다.

마누엘 양식Manuelino이 적용된 대표적인 것들은 리스본의 벨렝탑, 제로니무스수도원 등이 있고, 포르투에서는 포르투대성당 외벽, 까르무성당 외벽, 마제스틱 카페 입구와 실내 장식, 산투 일드폰수성당 실내 장식, 일반 건축물에서도 어렵지 않게 마누엘 양식을 찾아볼 수 있다.

포르투갈 여행에서는 마누엘 양식 찾기에 도전해보는 것은 어떨까.

▲▲해초와 밧줄을 모티브로 하여 문양을 장식한 마누엘 양식의 상 벤투역

가이아의 플리마켓과 케이블 카

볼량시장은 리모델링 중, 플리마켓은 곳곳에

해외여행에서 좋아하는 즐길 거리 중 하나는 시장 탐방이다.

많은 사람들이 시장보다는 명품가게나 백화점을 찾는 데 반해, 나는 재래식 시장이나 중고 물품을 판매하는 벼룩시장Flea Market을 더 좋아한다. 딱히 찾는 물건이 있어서 그런 것은 아니다. 우리나라와 다른 나라의 사람들은 어떤 생활을 하고 있는지, 어떤 생각을 갖고 있는지 시장의 물건을 통해 어느 정도 예측할 수 있기 때문이다. 별생각 없이 그냥 호기심이 많아서 그런 것일 수도 있다.

운이 좋지 않았던지 볼량시장Mercado do Bolhão은 리모델링 중이라 경험할 수 없어 아쉬웠고, 포토벨로마켓은 리스본에 있는 벼룩시장인 '도둑시장Feira

^{da Ladra'}과 비교할 수 없을 정도로 아담해서 살짝 실망스러웠다.

볼량시장은 리모델링 공사 중

볼량시장에 대해 위치 정보만 갖고 집을 나와 시장을 향해 걸었다. 시장 외부에서 보는 아이보리색의 건물벽과 많은 유리창으로 만들어진 3층 규모의 건물은 모던한 스타일에 과하지 않은 장식이 꽤 아름다워 보인다. 시장 전체적인 모습과 분위기를 즐기고, 숙소에서 먹을 과일과 채소 등을 구입할 계획이었다. 게다가 기념품으로 구입할만한 수공예품도 있지 않을까 예상하면서 시장 앞에 도착했다.

그런데 이게 웬일? 시장에 들어갈 수 없게 건물 밖에 펜스가 쳐져 있다. 따로 출입구가 있을까 해서 그 큰 건물을 빙 둘러 돌아봤다. 코로나 시대라서 사람들의 왕래도 잦지 않은 데다, 1914년 시장 건물이 건설되고, 이듬해인 1915년부터 시장 운영이 되었으니, 100년이 훨씬 더 넘은 이 건물을 '이때다!' 하고 리모델링에 들어갔는지도 모르겠다.

여행 후 2년이 지나 볼량시장 홈페이지에 들어가 보니 생선, 야채, 과일부터 수공예품을 판매하는 많은 매장과 커피숍, 식당 등이 정상적으로 운영되고 있다. 시장 홈페이지는 단순하지만 예쁘게 운영되고 있다.

볼량시장 방문은 다음 기회로 미뤘다.

시장 운영시간 월~금요일 08:00~20:00, 토요일 08:00~18:00
레스토랑 운영시간 월~토요일 08:00~24:00
위치 R. Formosa 322, 4000-248 Porto
웹사이트 www.mercadobolhao.pt

포토벨로마켓

토요일 오전에는 까르무성당 근처에 있는 포토벨로마켓Mercado de Portobelo을

찾아갔다. 일주일 중 토요일에만 열리는 포토벨로마켓은 중고 물품과 수공예품을 주로 판매하는 벼룩시장이다. 구글맵으로 확인하고 찾아간 시장이라서 혹시 잘못된 정보가 아닐지 고민하면서 갔는데 시장이 막 열리고 있다.

길거리가 아니고 작은 공원에서 열리는 이 벼룩시장은 파라솔이나 천막 아래에 물품을 놓고 판매하는 것이라서 딱 봐도 벼룩시장 느낌이다. 판매 상인이 많지 않아 아담한 느낌이었으나 특이하게 요즘엔 거의 사용하지 않는 LP판과 타자기가 눈에 확 띈다. 타자기는 한눈에 봐도 100여 년은

되어 보여 카페 장식품으로 잘 어울릴 것 같다. 중고 옷과 장신구 수공예품, 수제 비누, 주스, 아로마오일 등을 판매하고, 공원 한편에서는 공연하는 사람도 있다. LP판과 타자기가 인상적이었지만, 부피와 무게 등을 고려했을 때 여행자가 구입할 수 있는 품목이 아니어서 아쉬웠다.

운영시간 토요일 10:00~19:00
위치 Praça de Carlos Alberto, 4050-157 Porto
페이스북 m.facebook.com/mercadoportobelo

Mercado do Sol

포르투대학교 건물 서쪽 벽 앞에 있어 종점에서 트램을 탈 때마다 마주치는 벼룩시장이다. 수공예품을 좋아하는 사람이라면 흥미를 끌 수 있는 물건이 꽤 많이 있을 수 있다.

이곳 시장에 대한 정보는 전혀 없었는데, 트램을 타러 갔다가 우연히 발견했다. 판매하는 물품은 대부분 옷과 선글라스, 팔찌, 반지 등 수공예품과 장신구 등이다.

위치 Praça Parada Leitão(포르투대학교 서쪽)
운영시간 목·금·토·일요일 10:00~18:00(10~3월), 10:00~20:00(4~9월)
웹사이트 comercioturismo.cm-porto.pt/feiras-e-mercados/mercado-do
 -sol

트램 종점 앞 Mercado do Sol

빌라 노바 드 가이아의 강가 마켓

가이아의 강가 마켓^{Mercado de Artesanato do Cais de Gaia}에 대한 정보가 전혀 없는 상태에서 도우루강 강가를 한가롭게 거닐다 천막과 아기자기한 가판대가 인도에 펼쳐져 있는 것을 발견했다. 와이너리 칼렘^{CALEM} 앞에서 시작해 서쪽으로 십여 개가 넘는 천막 가판대에서 의류와 천 장식물, 장신구, 수공예품, 기념품 등을 판매한다. 포토벨로마켓이나 포르투대학교 옆에서 판매하는 물품과 큰 차이가 없어 금세 지나쳐갔지만, 패션에 관심이 있는 다른 여행자들에게는 흥미를 끌 수도 있다.

운영시간 매일 09:00~19:00
위치 Av. de Diogo Leite

가이아 강변의 플리마켓!

Vandoma flea market

숙소에서 주인 친구 오지에게 포르투의 벼룩시장에 관해 물어봤을 때 알려준 벼룩시장이다. 하지만, 오지도 정확히 모르는지 휴대폰으로 구글을 검색한 후 알려줬던 거라서 신빙성은 많지 않았지만, 속는 셈 치고 가보자는 심산으로 갔다. 사실 그 정도의 정보는 나도 이미 검색을 해서 알고 있었던 정보였는데…….

구글맵은 Pte. do Infante 다리 옆 Alameda das Fontainhas 거리에서 새벽 6시부터 열리고, 10시 정도 되면 장사가 거의 파장이니까 좀 서두르라고 했다. 해가 7:30이나 돼야 뜨니까 6시에 장이 열리는 건 좀 오버인 것 같고 그래도 좀 서둘러 6:30에 집에서 나왔다. 숙소에서 시장까지 걸어서 30분 정도 걸린다고 치면 7시경에는 아주 분주한 벼룩시장을 볼 수 있을 것이라 기대했지만, 반대로 한 달에 두 번 밖에 장이 열리지 않는다는 정보도 인터넷 어디에선가 본 것 같아 장을 못 보더라도 크게 실망하진 않을 것이었다. 오늘 안되면 다음 주 토요일이 또 있으니까.

구글에서 알려준 장소에 도착했는데 사방은 여전히 어두컴컴하고 장은 열릴 기미가 전혀 없다. 다리 밑에 대여섯 명의 젊은 애들이 시끄럽게 웃고 떠드는 소리가 들린다. 이 아침에 이렇게 부지런한 젊은이들이 뭐할까 싶기도 하고, 괜히 불편한 상황에 얽이게 될 수 있겠다 싶어 곧바로 발걸음을 돌렸다.

아직 어두컴컴한 이른 아침이라 벼룩시장이 혹시 좀 늦게 열릴 수도 있겠다 싶어 시간이 좀 지나 다시 한번 와보기로 했다. 하지만, 9시 넘어 다시 방문했는데도 벼룩시장은 여전히 열리지 않았다.

'벼룩시장이 뭐라고 이렇게까지, 나도 참……'

2년이 지나 구글맵을 다시 뒤져보니 '폐업'이라고 표시된다.

위치 앙팡트 다리Ponte Infante Dom Henrique 북동쪽, Alameda das Fontaínhas 공원(하지만 더 이상 시장이 열리지 않는다.)

PORTO

짜 먹는 잼 메이아 두지아 매장의 쇼윈도

기념품 고르기는 너무 힘들어

여행의 또 다른 재미 중 하나는 기념품과 선물을 구입하는 것이 아닐까?

일상 속에서 친구나 친척, 지인들에게 특별한 날이 아님에도 선물할 수는 있지만, 받는 사람이 뜬금없게 여길 수 있다. 게다가 몇천 원짜리를 선물이라고 주기도 그렇고, 몇만 원이라고 하더라도 선물의 가치가 돈의 가치만큼 따라가지 않는다면 괜히 주고도 욕먹는 일이 생길 수도 있다. 그래서 평상시 고마움을 전하고 싶은 사람이 있어도 선뜻 선물을 하지 못할 때가 있는데 해외여행을 하게 되면 이런 고민 없이 자연스럽게 선물할 기회가 되기도 한다. 기념품은 큰돈을 들이지 않고서도 받는 이에게 큰 기쁨을 선사할 수 있다.

포르투는 자연환경, 건축, 조경 분야에서 예쁜 도시이다. 도시가 크지 않아 아름답고 예쁜 것들이 크지 않은 공간 안에 밀집되어 있어 더 그렇게 느끼는 것인지도 모른다. 예쁜 도시만큼이나 기념품과 선물로 챙길 수 있는 제품도 많다. '도시를 예쁘게 만드는 사람들이 물건도 예쁘게 만들 수 있는 건가?'

포르투에서 기념품이나 선물로 만날 수 있는 특별한 제품은,
캔(생선이 들어 있는), 타일이나 마그네틱 등 세라믹 제품, 짜 먹는 잼, 포트와인과 일반 와인, 도자기 그릇, 저렴한 의류 등 다양하다.

정어리 캔

숙소에서 클레리구스성당 가는 길가에 정어리 통조림을 판매하는 가게가 있다. 포르투 도착 후 며칠 동안 가게 앞을 수십 번이나 지나다녔음에도 가게가 있는 것을 알아차리지 못했다. 어느 날, 사람들이 가득 들어찬 가게 안을 우연히 보고 나서 드디어 '아, 이곳이 그 정어리 캔을 파는 가게이구나!' 하며 비로소 가게를 인지하고 안으로 들어섰다. '정어리가 들어 있는 캔이 예뻐봤자…….' 하며 별 관심 없이 들어섰는데, 사람들이 생선을 먹기 위해서가 아니라 통조림 캔이 예뻐서 구매할 것 같다는 생각이 들었다. 나도 고민을 한참 동안 할 수밖에 없었다.
가게 안은 딱 놀이공원 컨셉이다. 내부는 유리창을 제외하고는 모두 여

생선 캔 꼬무

러 가지 원색으로 칠해져 있고 반짝반짝하는 조명과 대관람차 모양의 원형 조형물, 회전목마 형태의 조형물, 신데렐라가 탔을 법한 마차가 전시되어 있고 벽면은 캔으로 가득 채워져 있다. 컨셉은 놀이공원이지만, 인테리어는 캔을 쌓아 완성했을 정도로 판매용 캔으로 도배되어 있다. '저거 설마 파는 거야?' 싶을 정도로 완성도 높은 캔 쌓기이다. 제품을 바닥부터 천장까지 쌓아놓은 가게를 본 적이 있던가?

캔은 수도 없이 많은 다양한 종류의 디자인으로 만들어져 있다. 납작한 사각형 형태로, 모서리는 라운드 처리되어 있어 어찌 보면 조금 두꺼운 아이폰과 유사하다. 우리나라의 깻잎 캔과는 완전히 똑같은 형태에 그림 디자인만 다른 모습이다. 캔에 가까이 가서 보니 정어리 캔만 있는 것이 아니라 대구도 있고 조개, 연어, 장어, 참치 등 여러 가지이고, 정어리 캔은 올리브 오일에 넣은 정어리, 레몬이나 토마토에 넣은 정어리 등 생선 종류도, 조리된 방법도 다양하다.

캔이 가장 특별하게 보이는 것은 뭐니 뭐니 해도 '디자인'이다. 가게 인테리어와 마찬가지로 캔도 알록달록, 원색의 색깔을 사용해서 예쁘게 디자인되었다. 여행자에게 기념품으로 판매하기 위해서인지 캔의 뚜껑에 리스본, 코임브라, 브라가, 기마렝이스 등 포르투갈의 주요 도시 이름을 넣었고, 해당 도시의 특징을 살려 디자인했다. 포르투의 경우, 동 루이스 1세 다리와 히베이라 위쪽 집들을 모티브로 그림을 그렸고, 리스본은 태주강 너머의 그리스도상과 상조르주성, 아베이루는 운하와 코스타노바의 줄무늬 주택, 신트라는 궁전이 인쇄되어 있는데 하나같이 모두 예쁜 그림이다.

포르투갈 대도시마다 판매 지점이 있어 여행자가 방문한 도시의 캔을 구입하게끔 하는 업체의 판매 전략이 기가 막히다. 내용물 정어리에는 관심이 없더라도, 그냥 캔 자체를 기념품으로 사 왔어야 했다.

[포르투의 정어리 캔 가게]

업체 꼬무^{Comur}(1942년부터 시작. 포르투와 코임브라 중간의 무르토사
^{Murtosa}에 본사가 위치함)

간판명 O Mundo Fantastico das Sardinhas Portuguesa(The Fantastic World of the Portuguese Sardine)

웹사이트 www.portuguesesardine.com

주소 rua dos clerigos 1, Porto(업체의 공식적인 주소는 Largo dos Lóios 1, 4050-613 Porto인데, 구글맵에서 이곳을 검색하면 가게 맞은편의 틀린 주소를 알려준다). 전국 대도시에서 가게 운영

세라믹 제품

 포르투갈은 아줄레주의 나라답게 세라믹으로 만든 기념품이 다양하다. 작은 생선과 동물모양부터 큰 접시와 가족상 등 크기와 형태가 다양한 데다 대부분 화려한 색감으로 예쁘고 귀여워서 한두 개만을 선택하기가 몹시 어렵다. 기념품 가게는 주로 클레리구스성당 근처와 상 벤투역 맞은편에 몰려 있고, 관광객은 이 주변을 수도 없이 왕래하므로 가게를 찾지 못해 기념품을 구입하지 못할 가능성은 제로이다. 기념품 가게마다 문을 활짝 열고 장사를 하며, 엽서와 마그네틱, 장난감 등이 가득하다.

 처음엔 어떤 제품들이 기념품으로 판매가 되고 있는지 궁금해서 가게마다 들어가 재미있게 구경했다. 사람이 드나들 수 없을 정도로 빼곡하게 채워진 가게들이지만, 가게마다 똑같은 물건들이 가득하고 목재로 만든 몇몇 앤틱한 제품들을 제외하곤 특별한 것들이 보이지 않는다. 소장하고 싶은 마음이 드는 물건이 거의 없어 이곳에서 기념품 구입은 포기하기로 했다.

아줄레주 6개로 만든 우리집 주소 번지

하지만, 멋진 수공예품으로 가득 찬 기념품점도 도시 여러 곳에 산재해 있다. 벼룩시장을 가기 위해 길을 걸어가던 중 우연히 만난 가게Prometeu는 1, 2층으로 되어 있어 규모가 크고 독특한 제품도 많이 진열되어 있을 뿐만 아니라 애플 매장처럼 심플한 디스플레이는 더욱 매력적이다. 이곳 대부분의 제품은 디자인과 색상이 화려하고 예쁘다. 호기심에 구경만 하러 들어갔다가 지름신이 강림해서 이를 쫓아내느라 꽤 어려웠다. 세라믹 제품이 많고 큰 그림과 액자, 타일, 옛날 대항해 시대의 목선과 와인을 실어 나르는 라벨루도 보인다. 세라믹은 일상에서 사용할 수 있는 그릇은 물론이고 생선, 동물 마그네틱과 테이블에 올려놓을 수 있는 것, 벽에 걸어놓을 수 있는 것 등 모양도, 형태도 다양하다.

포르투갈의 대표 생선, 동물인 정어리와 닭 이외에 고양이의 모습도 귀엽고 예쁘다. 정물화, 풍경화는 사실과 비슷해 별로 끌리지 않는데 추상화와 같이 쪼물딱 쪼물딱 아무렇게나 만든, 하지만 동물의 특징을 잘 잡아내서 직접 손으로 만든 제품들이 마음을 끌어당긴다. 낱개의 타일, 여러 개의 타일을 붙여 하나의 그림을 완성하는 타일 세트 등 아줄레주의 나라 포르투갈에서 예쁜 타일을 구입하는 것도 좋은 선택으로 보인다.

아쉬웠던 것은, 첫 방문에서 기념품 구입 욕망을 꾹꾹 참고 다음으로 미루다가 끝내 다시 들르지 못하고 포르투를 떠난 점이다.

실제로 기념품을 구입한 곳은 이름을 찾기도 힘는 이면도로의 작은 가게 밀라Mila이다. 석양을 보기 위해 비토리아전망대로 가던 중 우연히 발견한 가게인데 간판이 없다. 유리창 너머에 전시된 세라믹과 천으로 제작된 제품이 내 발걸음을 멈추게 했다.

며칠 뒤 다시 들른 가게, 이면도로에 위치해서 그런지 골목길에 돌아다니는 사람도 별로 없고 가게에는 흰머리 성성한 할아버지 사장님 한 분만

세라믹 기념품

계신다. 사장님에게 사진 촬영해도 되는지 물어보니 흔쾌히 승낙을 해주신다.

예수님과 천사, 수도자, 가족 등 천주교 관련된 세라믹상은 천주교 신자인 누나들에게 선물을 하면 좋을 것 같다. 피카소가 만들었을 것 같은 웃기게 생긴 고양이도 예쁘고 올빼미, 접시, 생선, 닭, 타일 등 여기 있는 모든 제품이 너무 예뻐 사지 않을 이유를 찾기가 힘들었다. 할아버지에게 그런 내 마음을 이야기 하니, 자기와 가족들이 직접 만든 수공예품이어서 그렇다고 한다. '어쩐지, 하나하나 모두 다르고 너무 예쁜 이유가 있었구나!'

포르투 이후에 리스본과 스페인을 들러야하므로 무게가 많이 나가는 세라믹 제품을 구입하기 곤란해서 정말 놓치기 싫은, 예쁜 제품으로만 몇 개

사고 추가적인 것은 리스본에 가서 사기로 했다. 하지만, 리스본에서는 한 군데를 제외하고는 예쁜 기념품을 판매하는 가게를 찾을 수가 없어 적잖이 실망했다. 리스본은 포르투갈의 수도인 데다 제일 큰 도시라서 더 다양하고 예쁜 기념품이 많을 것이라고 생각했는데 예상은 빗나갔다. 생각해 보니 세라믹 제품은 손으로 직접 제작하기 때문에 상점 운영이나 제작 단가 등을 리스본에서는 맞추기 어려워 포르투와 같은 상점이 없을 수 있겠다는 생각이 든다.

포르투를 떠나 리스본에 가서 또다시 다짐했다. 여행 중, 마음에 드는 제품이 있을 때는 미루지 말고 무조건 사고 봐야 한다.

[기념품 가게 1: Prometeu Artesanato]
주소 R. de Alexandre Herculano 355, 4000-053 Porto

[기념품 가게 2: Mila - artisanal ceramics]
주소 R. Arquitecto Nicolau Nasoni 6, Porto

짜 먹는 잼, 메이아 두지아

포르투에 도착하기 전엔 '짜 먹는 잼'에 대해 들어본 적도 없었다. 포르투에 있는 중간에 딸아이로부터 선물 목록이 카카오톡으로 왔는데 그 리스트 중 하나였다.

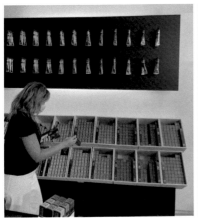

짜 먹는 잼 세트

일부러 찾아보진 않았는데 길거리를 걷다 보니 포르투에 있는 세 개의 상점 중 두 개가 자꾸 눈에 띈다. 그럴 수밖에 없는 것이 집에서 플로레스 거리를 지나 히베이라에 가다 보면 거리 중간에 하나가 있고, 또 하나는 집에서 상 벤투역을 지나 산타 카타리나거리에 가다 보면 쉽게 마주친다(그곳이 잼을 파는 상점이라고 인식하는 것은 어려울 수 있지만.).

산타 카타리나거리에 있는 상점은 고풍스러운 건물 모퉁이에 있는 데다 상가 유리창 안쪽에 진열된 모습이 '잼을 파는' 상가라고 생각하기 어려워 쉽게 지나칠 수도 있다. 실제로 고개를 갸웃거리며 내부에 들어갔다가 잘못 들어온 것이 아닌지 한참 동안 헷갈려 했다. 분명 잼을 진열했는데 이게 잼인지 아닌지 알아차리기 어려운 데다 간판이 있는 것도 아니다. 단지 유리창 앞 어닝에 '6 meia·duzia', 그리고 그 아래 'SABORES DE PORTUGAL'이라고 쓰여 있으나 눈에 들어오지 않는다. 게다가 일부러 찾아가려고 구글맵까지 켜고 갔는데 도대체 잼을 파는 것처럼 생긴 상점이 보이지 않아 바로 그 앞에서 한참을 두리번거려야 했다.

상점 내부는 백화점에서 화장품을 판매하는 매장처럼 단순하지만 고혹적이다. 천장에 장식된, 오래된 목조 장식물과 흰색 바탕의 벽면, 포인트가된 검은색 키 작은 진열장 및 벽면 진열장, 낱개의 잼과 종이박스로 만들어진 잼 세트를 보고 화장품 가게에 잘 못 들어온 것이 아닌가 하는 생각에가게 밖으로 나갔다가 다시 들어오기도 했다.

인테리어는 단순, 고혹적이지만, 알루미늄 튜브의 잼과 낱개를 담은 종이박스, 잼을 세 개 또는 여섯 개씩 담은 종이 세트의 제품 디자인은 화려하고 예쁘다. 사장님은 상점 중앙의 테이블 위에 놓인 튜브 잼을 손님들에게 짜주며 시식을 권한다. 그 모습이 영락없이 백화점 화장품 코너의 판매사원처럼 보인다.

잼은 다양한 종류의 과일 등으로 제조되었다. 생각해 보니 잼을 꼭 딸기로만 만들 필요는 없다. 파인애플잼, 로즈마리가 들어간 오렌지·호박잼, 포트와인이 들어간 딸기잼, 바닐라와 포트와인이 들어간 블루베리잼, 럼이들어간 바나나잼, 블랙베리잼, 체리잼, 라즈베리잼, 패션프룻잼, 키위잼 등한국에서는 쉽게 접할 수 없는 잼들의 향연이다. 금액은 낱개로 5.50유로이지만 세 개 세트로 구입하면 13.90유로, 여섯 개 세트 29.90유로인 것도있다. 세트를 만들 때 선택할 수 있는 종이 패키지도 다양하다. 그중 제일마음에 드는 것은 여섯 개 세트가 들어간 것인데 포르투의 도시 건축물이디자인으로 들어가 있고, 건물의 모양과 원색의 색감이 화려하고 예뻐서잼은 둘째 치고 포장용 박스만 따로 사고 싶을 정도였다.

세트로 이미 만들어져 있지만 손님이 원하는 맛을 조합하여 다시 세트로 만들어주기도 한다. 여러 가지 잼의 맛을 봐도 뭐가 맛있는지, 맛없는지 구분하기가 어렵다. 어차피 잼은 다 맛있는데 굳이 덜 맛있는 것을 고른다는 것이 의미 없다고 판단하고, 맛이 아니라 튜브 색깔이 예쁜 것들로 골라 세트를 구성했다.

플로레스거리 가게_ R. das Flores 171, 4050-266 Porto
산타 카타리나거리 가게_ R. de Santa Catarina 1, 4000-542 Porto
히베이라 근처 가게_ Tv. da Bainharia n.º 2 a 8, 4050-253 Porto
웹사이트 www.meiaduzia.com
참고 2012년 포르투에서 개업. 리스본에도 상점 운영

포트와인과 일반 와인

포르투는 와인 생산지로도 유명하다. 보다 정확하게는, 포르투갈 북부 도우루 밸리에서 수확한 포도를 포르투로 가져와 빌라 노바 드 가이아의 와이너리에서 포도주로 만들어 포르투 항구를 통해 전 세계로 수출한다. 이곳은 특히 달달하지만, 도수가 상당히 나가는 포트와인Port Wine으로 유명한데, 포트와인은 일반 와인과 숙성 과정이 조금 다르다. 숙성할 때 알코올 도수가 77도 정도 되는 브랜디를 첨가함으로써 포도의 당분이 알코올로 전부 분해되지 않고 포도의 단맛이 많이 남게 되는데 이것이 포트와인이다. 알코올 도수가 10~15도가량의 일반 와인과 달리 포트와인은 19~22도로 꽤 높다. 요즘 소주의 알코올 도수가 16도 정도이니 소주보다 도수가 높다. 한 번에 마시는 포도주의 양도 많으므로 술이 약한 사람은 과음하지

않도록 주의하는 것도 필요해 보인다(나한테만 해당하는 말일 수도……).

포르투 식당에서 식사하는 사람들을 보면 대부분의 사람은 식사에 술을 곁들인다. 맥주나 와인을 물 마시듯 마시는 것을 볼 수 있는데, 나 역시 포르투에 있고 현지인처럼 지내기로 마음 먹었으니 다른 사람들처럼 술을 마다할 수가 없다. 와인 잔에 반 정도밖에 채워주지 않는 포트와인이지만 도수는 소주보다 높고, 와인 잔의 크기가 크니 소주잔으로 치면 서너 잔이 될 수 있는 양이다. 햇살 따사로운 야외 테이블에서 맛있는 음식과 함께 마신 포트와인의 달달한 맛이 그립다.

와인을 구입하기 위해 슈퍼마켓에 갔다가 깜짝 놀랐다. 1.79유로로, 1.99유로, 3.99유로짜리 와인이 수두룩하다. 병의 모양도, 포도주의 색깔도 입

맛을 자극한다. 와인이 저렴한 데는 합당한 이유가 있겠지만, 2,500원 정도의 와인이라면 '유리병값'은 나올까 궁금했다.

유리병이 예쁘든, 포도주 색깔이 입맛을 자극하는 색깔이든 마음에 드는 와인을 사서 숙소에서 근사하게 한잔하려고 했던 시도는 처참하게 실패했다. 한참 후에야 알게 되었는데, 와인만 구입하고 와인 오프너를 구입하지 않은 것이었다. 밖에 나가 오프너를 사오는 것은 귀찮고

고민 고민을 하다가 너무 마시고 싶은 나머지 젓가락으로 코르크를 뚫어 버리고 병 안쪽으로 밀어 넣고 나서야 마침내 와인을 마실 수 있었다. 근사하게 와인을 마시고 싶었는데……

빌라 노바 드 가이아에 있는 수많은 와인 업체를 대상으로 하는 많은 투어 상품이 있다. 투어에 참여해 여러 와이너리에서 와인 시음 경험을 할 수 있고, 슈퍼마켓에서 2~3천 원 하는 와인부터 수십만 원 하는 와인에 이르기까지 취향에 맞게 다양한 선택을 할 수 있다. 포르투에서는 와인을 마시지 않을 수가 없다.

두 병까지는 면세이니 꼭 당장 마시지 않더라도 언젠가 추억을 이야기하며 마실 날이 오지 않을까?

왕실에서도 사용했다는 도자기, 비스타 알레그리

1824년 창업하여 200년이 되는 비스타 알레그리^{Vista Alegre}는 포르투갈을 대표하는 도자기 전문 제조회사이다. 포르투갈 왕실을 위한 제품을 생산하고, 영국 엘리자베스 2세를 위한 디너 세트를 제작하기도 했다. 본사는 포르투에서 그리 멀지 않은 코스타노바 인근이다.

제품은 디자인이나 소재가 우리나라의 전통적인 테이블 웨어와는 많이 달라서 기념품으로 구입하게 되면 사용하는 내내 포르투 여행의 추억이 되살아나서 좋은 기념품이 될 것이다. 그릇, 접시, 주전자, 일반적이지 않은 멋진 형태의 제품 및 유리, 세라믹 등 소재도 다양하다.

더 이상 천주교 신자가 아니지만, 여러 차례 고마움을 느낀 해미성당 신부님을 위해 성당에서 사용할 법한 디자인의 유리잔과 딸에게 선물할 예쁜 뚜껑이 있는 그릇을 구입했다. 비싼 가격이 흠이 될 수도 있지만, 멋진

비스타 알레그리 제품

제품을 구입하는데 그만한 값을 치르는 것은 당연하다.

포르투 내 상점 Rua das Carmelitas, 40, 4050-161 Porto
본사 주소 VISTA ALEGRE ATLANTIS SA, 3830-292 ÍLHAVO
웹사이트 vistaalegre.com/international

그 외 기념품으로 괜찮은 제품

<쿠토 치약>

어디에선가 기념품으로 쿠토^{Couto} 치약이 좋다는 이야기를 들었다. 게다가 본사가 포르투에 있다. 쿠토 치약은 마모제가 들어 있지 않아 치아의 표면에 홈을 내지 않는다는……. 건강에 신경을 많이 쓰는 형이 원하는 치약이다.

1932년에 창업하여 100여 년이 되어가는 업체인데, 제품을 생산하던 처음에는 잇몸 질환을 치료하기 위해 약용으로 만들었다고 한다.

치약은 60g 하나에 2.60유로라서 가벼운 선물로도 좋다. 매장에는 구강청결제나 대나무 칫솔, 선물용 세트, 핸드크림, 비누 등도 전시되어 있다. 다만, 신용카드를 받지 않아 현금을 준비해야 했다.

찾아가기도 어렵지 않다. 까르무성당에서 북쪽으로 향하는 R. de Cedofeita 길을 따라 7~800미터 정도 걸어가다 보면 오른쪽에 있는데 문위의 간판 배경이 노란색이라서 눈에 잘 띈다.

쿠토 홈페이지에 들어가보니 상 벤투역 근처와 히베이라에도 쿠토 치약을 취급하는 판매점이 있다. 진작에 알았으면 엄청나게 먼 곳까지 걸어가지 않았을 텐데……. 업체 홈페이지를 확인하지 않은 내 탓이지.

주소 R. de Cedofeita 330, 4050-109 Porto

웹사이트 couto.pt/en

<자라, H&M 등에서 옷 쇼핑>

　여행 기간 내내 입을 옷을 모두 가져가지 않고 한두 개는 현지에서 구입해 입는 것도 좋다. 필요에 의한 구입이기도 하지만, 구입한 옷 자체가 기념품이 되기 때문이다.

　자라^{Zara}와 H&M은 저가의 SPA이지만, 다양한 디자인의 옷을 구경하는 재미도 있고 마음에 드는 옷이 있으면 저렴하게 구입할 수도 있겠다 싶어 방문해 보았다. 날씨가 생각보다 서늘해서 따뜻하게 입을 옷이 필요하기도 했다.

　두 매장 모두 산타 카타리나거리에 있고, 마제스틱 카페가 바로 옆에 있어 커피 한잔하고 여유 있게 쇼핑을 하면 좋다. 신기하게도 자라에 있는 옷이 상표만 다르게 해서 H&M 매장에서도 판매한다.

'자라는 스페인 업체이고, H&M은 스웨덴 업체인데 어떻게 옷의 색상도 디자인도 똑같은 걸 만드는 거지?'

……

'둘 다 제조국이 방글라데시였군!'

<정어리, 닭, 히베이라 마그네틱>

포르투갈은 남서쪽 2면이 바다로 둘러싸여 생선을 많이 먹을 수밖에 없는 환경인 데다 많이 잡히는 생선이 정어리라서 그런지 정어리를 모티브로 한 기념품이 많다. 도자기로 만들고 마그네틱으로도 만들고, 천으로도 만들고 기념품점에 정어리 풍년이다. 기념품이지만 흔하디흔한 모양의 생선이라서 기념품으로는 적당하지 않겠다고 생각할 수 있는데 생선을 싫어하는 내 입맛과 다르게 기념품으로 판매하는 정어리는 깜찍하고 예쁘다. 어차피 먹을 것도 아니고 기념품으로 역할을 할 것이기 때문에 예쁘고 독특한 느낌을 주는 정어리가 기념품으로 적절해 보인다.

포르투나 리스본 어디에서도 다양한 컨셉으로 만든 닭을 볼 수 있다. 고양이는 귀여워서 많은 제품에서 볼 수 있다지만, 왜 하필 닭일까 하는 궁금증을 갖고 있다가 기념품점의 사장님에게 물었다. 대답은, 수탉이 '정직, 결백을 증명'하는 전설에 등장하기 때문이라고 했다.

옛날에 스페인의 산티아고 데 콤포스텔라로 순례길을 떠난 포르투

갈 사람이 한 마을에 도착했을 때 도둑으로 오인당하는 일이 생겼다.
그 마을 지주의 돈을 훔쳤다고 기소되어 교수형을 선고받았는데, 그
때 억울한 순례자는 자신이 결백하다는 증거로 '죽은 수탉이 일어나
울 것'이라고 판사에게 말했다. 순례자가 교수형을 당하기 직전 그가
말한 대로 '죽은 수탉이 벌떡 일어나 울어' 그는 무죄를 선고받았다.

전설이라지만, 그게 이렇게까지 전국적으로 닭을 기념품으로 만들어 판매할 정도인가 하는 의문이 든다. 기념품으로 제작한 닭이 귀엽거나 예쁜 모습이 별로 없어서 그렇기도 하고 기념품으로 구입하기에는 뭔가 좀 부족함이 느껴졌다. 하지만, 몇몇 기념품점에서 독특한 형태의 닭 제품을 발견했다. 닭 기념품이 보통 목재나 플라스틱으로 만들어져 평편한 곳에 세워놓을 수 있도록 생긴데 반해, 내가 사고 싶었던 제품은 세라믹으로 만든 제품이면서 벽에 부착하는 것이었다. 재미있는 것은 몸의 일부만 세라믹이고 다리와 목 등은 철사로 만들어 독특한 디자인인 데다 알록달록한 원색의 색감이 예쁘다. 우리집 거실 벽면에 걸려 있는 이 녀석은 우리나라에선 이색적인 모양이라서 더 특별해 보인다.

히베이라 언덕의 촘촘한 집들은 포르투를 대표하는 풍경 중의 하나이다. 포르투 사람들도 이를 아는지 히베이라 집을 모티브로 한 마그네틱 제품이 다양하다. 딱 봐도 한눈에 히베이라라는 것을 알아차릴 수 있어 포르투 여행 기념품으로 적당하다. 플라스틱, 세라믹으로 제작되고, 가격도 적당해서 가벼운 선물로도 좋아 보인다.

Ondo_
korean
kitchen

97	8,934	695
게시물	팔로워	팔로잉

Restaurante Coreano, 포르투한식당, 온도🤍
한식당
🍱 Cantinho de Comida Coreana 📍
Porto
Book your table by DM or... 더 보기
R.São victor 148, Porto, Portugal
번역 보기

팔로잉 ⌄   메시지   전화하기   ＋옷

Menu   Feedback   Workshop🎈   In the med

좋아요 167개
ondo_portugal... 더 보기

Ondo, Korean Kitchen

국물이 너무 그리워, 한식당

간판을 찾을 수 없는 한식당 '온도 Ondo, Korean Kitchen',
간판이 보이지 않는다. 구글맵을 들여다보며 한식당 온
도를 찾아가고 있는데, '어라! 식당을 지나쳤다고?'

좁은 거리의 양 옆 건물엔 식당 간판도 안 보이고, 식당
이라고 할 만한 것이 아무것도 없었는데 구글맵은 내가
식당을 지나쳤다고 표시해 준다. 다시 뒤돌아가며 식당 간판을 열심히 찾
아보는데……,

'간판이 없어.'

크지 않은 유리창에 작은 흰색 글씨로 상호를 적어 놓은 것이 전부이다.
게다가 한글은 전혀 보이지도 않는다. 한식당이라서 한글로 상호가 적혀

있을 것이란 생각은 잘못된 생각이었다. 이렇게 해도 망하지 않고 장사가 되는 것이 신기할 따름이지만, 저녁을 먹으면서 보니 장사가 아주 잘 된다.

집 떠나 포르투에 온 지 10여 일밖에 지나지 않았는데 벌써 한식이 그립다. 다른 건 다 필요 없고 국물 있는 '찌개'나 '국'이 필요하다. 매일 고기와 생선을 스테이크나 그릴에 구운 것만 먹어서 그런지 국물 있는 음식이 너무 그립다. 다른 여행에서는 한식을 별로 찾지 않았는데, 이번엔 상황이 좀 다르다.

포르투를 떠나기 며칠 전이라서 '마지막이다.' 생각하고 한식당을 찾았는데 간판이 없어 헤맸다. 게다가 아베이루와 코스타노바를 다녀오던 길에 캄파냐역에서 식당까지 걸었더니 다리는 너무 아프고 배도 고픈데 식당은 보이지 않고…….

식당을 어렵게 찾았더니 저녁 7시인데도 오픈 전이다. 식당은 7시 30분에 문을 연다. 문밖, 창가의 작은 목재 테이블에 앉아 식당이 오픈하기를 기다린다. '이렇게 장사를 해서 돈을 벌 수 있을까? 돈 벌려고 장사를 하는 게 아닐 수도 있겠는 걸!' 하는 생각이 들기도 한다.

7시 30분이 되자 드디어 직원이 주문 받으러 온다. 메뉴를 보니 찌개가 없다. 된장찌개, 김치찌개가 한식당 메뉴에 없다는 사실에 하늘이 무너질 것 같은 실망을 하며, 고민하고 고민하다 차선책으로 비빔밥을 주문했다. 어느새 식당 테이블엔 사람들로 가득 채워졌고 나를 제외한 모든 손님은 외국인이다. 테이블이 꽉 차고 대기 줄까지 보인다. 아직 사장님은 만나지 못했고, 주방에서 일하는 사람들과 서빙하는 직원은 현지인이다. 현지인이 한식당을 차렸는지도 모르겠다고 생각하던 차에 영락없이 한국인으로 보이는 이가 테이블마다 돌아다니며 음식 맛에 관해 물어본다. 사장님이었다.

비빔밥은 신선하기도, 시각적으로도 예쁘고 맛이 있어 찌개나 국을 충분히 대체할 수 있겠다고 생각했다. 다 먹고 계산하려니 디저트를 주겠다고 한다. 호떡과 모찌 중에서 고르는 데 난 호떡!

꿀과 설탕, 땅콩 등이 적절하게 들어간 호떡은 한국에서 먹은 호떡보다 더 맛있다. 게다가 도톰한 호떡 위에 아이스크림을 올려놓으니 훨씬 더 고급스럽게 느껴진다. 호떡을 맛있게 먹고 나서 지나가는 사장님에게, '호떡 못 먹었으면 울 뻔 했어요. 너무 맛있었어요!'라며 감사와 칭찬을 건넸다.

간판을 못 찾아 그냥 지나쳤다고 이야기했더니, 사장님은 '그래도 유리창에 쓴 글씨가 포르투에서 꽤 유명한 작가의 글씨'라고 알려준다.

코로나 상황으로 포르투에 한국인 여행자가 없어도 현지인으로 테이블이 꽉 찰 정도로 장사가 잘되는 것을 보니 같은 한국인으로서 기분이 좋다. 숙소에 돌아와 식당의 인스타그램에 들어가 보니 한글은 전혀 없고 현지어로만 적혀있다. 사진도 감각적으로 잘 표현해 놓았고, 현지인들을 대상으로 한 한식 쿠킹 클래스도 정기적으로 열고 있어 한식당의 현지화가 완벽히 되어 있고, 포르투에 제대로 된 한식^{K-Foods}을 알리는 민간 대사 역할을 하는 것 같다.

포르투를 떠나기 전 다시 한번 방문하고자 했으나 일요일, 월요일 이틀이나 휴무라서 아쉽게도 두 번째 방문은 하지 못했다.

「한식당 온도」

메뉴_ 호떡, 만두 샐러드, 치킨, 김치볶음밥, 제육비빔밥, 제육볶음, 불고기, 김치찌개, 김밥, 짜장면, 라볶이, 호떡, 비빔밥, 떡볶이, 김치전, 두부 스테이크, 간장 문어볶음, 닭갈비

주소_ Rua de S. Victor 148, 4000-512 Porto

웹사이트_ instagram.com/ondo_portugal

운영시간_ 일~월요일 휴무, **화~토요일** 12:30~ 15:30, 19:00~22:30

※ 운영시간은 계절별로 차이가 있을 수 있으니 확인 필요

또 다른 한식당 '식탁'을 찾기는 했는데, 가는 날이 장날

포르투를 떠나기 전, 다시 한번 더 한식 생각이 절실하여 '온도'에 가려고 했으나 일요일과 월요일은 휴무이다. '식당인데 일주일에 5일밖에 장사

를 하지 않는다구?'

사장님 마음대로니까 할 수 없다 생각하며 포르투에 있는 또 다른 한식당을 찾아갔다. 까르무성당과 쿠토치약 상점을 지나 한식당 '식탁^{siktak_porto}'에 도착했다.

식당으로 보이는 건물에 다가가는데 슬픈 예감이……. 유리창 안으로 실내 전등 빛이 보이지 않는다. 유리창에 적힌 글씨를 보니 이곳도 온도와 마찬가지로 일요일과 월요일이 휴무이다. '망했다. 난 오늘 일요일과 내일 월요일밖에 시간이 없는데…….'

인스타그램에는 이곳 '식탁'도 온도와 마찬가지로 쿠킹 클래스를 열며, 지역 사회에서 음식 관련한 왕성한 활동을 하고 있는 것을 볼 수 있었다.

한식당 식탁

'온도'와 '식탁' 모두 현지화가 완벽하게 된 것 같아 한국인으로서 뿌듯함을 느낀다.

「한식당 식탁」

메뉴_ 떡볶이, 비빔밥, 잡채, 오징어덮밥, 간장치킨, 양념치킨, 김치찌개

주소_ Rua dos Bragas 346, 4050-122 Porto

웹사이트_ instagram.com/siktak_porto

운영시간_ 일~월요일 휴무, 화~토요일 12:30~1500, 19:00~22:30

※ 운영시간은 계절별로 차이가 있을 수 있으니 확인 필요

siktak_porto
...

SIKTAK-Restaurante Corea…

CAPA

COREIA
Vamos para a mesa
▶ SIKTAK

PORTO Diz-se o primeiro restaurante coreano da cidade Aqui cultivam-se tradições como juntar todos os pratos da refeição e comê-los ao mesmo tempo

Fazer do Siktak uma porta de entrada para a cultura sul coreana é a missão de Jenah Sung. A jovem, natural de Seul, visitou pela primeira vez o Porto em 2016 e ficou com vontade de ficar. Mudou-se no ano seguinte e apercebeu-se que "não havia nenhum restaurante coreano. Temos uma grande paixão pela comida. Mesmo quando visitamos outro país, queremos comer kimchi e bibimbap". Daí até abrir o seu próprio espaço foi um salto, apenas atrasado pela pandemia. Em maio de 2020, inaugurava o seu Siktak ("mesa" em coreano), um lugar onde os seus compatriotas matam sauda-

des da comida caseira e os portugueses são convidados a conhecer a rica e vibrante cultura gastronómica da Coreia do Sul.

O prato de assinatura, o Siktak Set, reproduz a disposição tradicional de uma refeição coreana de um só momento. "Os coreanos comem tudo junto", simplifica Jenah. Esta proposta inclui um prato principal à escolha do cliente, que pode ser, por exemplo, o bibimbap, uma tigela de arroz, carne de porco, vegetais, ovo e gochujang (pasta de malagueta), um dos três molhos de base da cozinha coreana. "Tem de se misturar tudo primeiro", explica. Em simultâneo, são servidos vários acompanhamentos, que inclui sempre, entre outros, arroz e kimchi caseiro (couve fermentada com especiarias). "O kimchi é como o bacalhau em Portugal, há tantas maneiras de preparar, e cada família tem os seus segredos. Eu aprendi a ver a minha avó e a minha mãe." Esta iguaria é também ingrediente de um estufado bem apurado - o nível de picante pode ser ajustado a paladares menos tolerantes e é vendido em frascos, para quem quiser levar para casa.

Jenah também organiza workshops no Siktak, em que desafia os curiosos a aprender a fazer kimbap (rolos de alga e arroz), ou até pinturas tradicionais, e outras técnicas que levantam o véu à cultura sul coreana. AC

Rua dos Bragas, 246 (Cedofeita)
Tel. 222 426 081
Das 12h30 às 15h e das 19h30 às 22h30. Encerra ao domingo e segunda.
Preço médio: 20 euros

꼭 쇼핑이 아니더라도
걷고 구경하고 먹기 좋은 산타 카타리나거리

원래 목적지는 볼량시장Mercado do Bolhão이었다. 시장 구경을 좋아하기도 하고, 집에서 먹을 아침거리와 간식을 볼량시장에서 구입하려고 했는데 시장이 리모델링 중이다. 계획이 하나밖에 없었는데, 계획이 사라지고 나니 무엇을 해야 할지 한동안 정신을 차리지 못했다.

볼량시장은 수리 중, 브런치로 커피와 나타 먹고 거리 구경

휴대폰으로 지도를 보니 다행히 바로 근처에 산타 카타리나거리가 있다. 거리를 얼마 걷지 않았는데 산타 카타리나거리의 에그타르트 가게Nata

Lisboa가 갑자기 눈앞에 나타난다. 에그타르트의 원조국, 포르투갈에서 처음 맛보게 될 가게인데 잘 보니 인터넷인지, 책에서 본 적이 있는 가게이다.

시간도 딱 간식 먹기 좋은 시간 11시. 야외 테이블에 앉아 에그타르트 두 개와 아메리카노 한 잔을 주문했다. 가격은 총 4.50유로. 6,300원 정도로 커피(콜드 브루 2.30유로)와 에그타르트(두 개 2.20유로)를 마시고 먹

나타 리스보아

을 수 있었다. 커피도 에그타르트도 아주 저렴하다. 우리가 부르는 에그타르트를 포르투갈에서는 나타Nata라고 부른다. 실제로 포르투갈 여행 중에 '에그타르트'라는 말을 한 번도 '들은 적도, 내가 말한 적도' 없다. 나타와

함께 서비스되는 것은 종이봉지에 든 설탕과 스테인리스 통에 담긴 시나몬 가루이다. 나타가 원래 단맛이 나기는 하지만 설탕과 시나몬 가루를 뿌려 먹으면 훨씬 더 맛있게 느껴진다.

나타는 겉바속촉의 대명사이다. 계란 노른자와 설탕으로 만드는 나타는 겉이 많이 타기도 할 정도로 바삭하다. 하지만, 안쪽은 크림을 먹는 것처럼 촉촉하고 엄청 부드럽다. 씹히는 질감을 느낄 수도 있고, 입안에서 그냥 녹아 사라지는 것 같은 느낌인 데다 단맛과 계피 향이 풍미를 더해주니 맛이 없을 수가 없다.

한국에서 나타를 먹은 기억이⋯⋯. '원조 나라에 왔으니 매일 나타를 먹으리라.' 결심했지만, 항상 마음대로 되는 것은 아니어서 이틀에 한 번꼴로 먹었나보다. 한 개를 먹기는 너무 적은 것 같고, 세 개는 너무 많은 것 같아 항상 두 개씩 먹었다.

코로나시대에도 활기 넘치는 산타 카타리나거리

산타 카타리나거리는 상 벤투역 근처 산투 일데폰수성당Igreja Paroquial de Santo Ildefonso 앞에서부터 시작해 북쪽으로 1.6km정도 이어진다. 남쪽 마제스틱 카페 앞에서 북쪽 나타 가게 근처에 이르는 500여 미터는 자동차가 들어갈 수 없는 쇼핑 거리이다. 거리 양 옆의 건물은 3~4층으로 이루어져 있고, 같은 디자인의 건물이 하나도 없을 정도로 각양각색이다. 외벽은 대리석이나 화강암, 석회암, 콘크리트 등으로 만들어졌고, 창틀은 옛날 모습 그대로이지만, 창문은 현대적인 샷시로 리모델링되어 있다. 간판도 글자만 따서 외벽에 작게 붙여 놓아 건물의 모양을 해치지 않고, 그 자체로도 아름다운 인테리어 느낌이 든다. 다양한 형태의 건물들을 구경하는 것만으로도 눈이 즐겁다. 바닥은 포르투갈답게 벽돌이나 작은 돌을 손으로 맞춰 그림이나 문양을 보여준다. 중간중간의 식당이나 카페 앞에는 야외 테이블이 있어 식사나 음료를 마시며 지나다니는 사람들을 구경할 수도 있다.

산타 카타리나거리

산타 카타리나거리 남쪽 끄트머리 부분에 있는 마제스틱 카페부터 자라, 볼량 메트로역, 볼량시장, 스페인 옷가게 마시모 두띠Massimo Dutti, 종합 쇼핑몰ViaCatarina Shopping과 쇼핑몰 지하 1층의 H&M, 장난감 및 잡화점 에일-홉ALE-HOP Santa Catarina, 다양한 식당과 카페들을 지나 거의 북쪽 꼭대기의 나타 가게Nata Lisboa 등 쇼핑과 먹거리를 즐길 수 있다.

10월 초의 포르투는 바람이 조금 차가웠으나, 산타 카타리나거리의 야외 테이블에 앉아 살짝살짝 햇볕을 받으며 커피 한 잔, 식사 한 끼 하며 시간을 보내는 것이 재미있다.

포르투갈에서 군밤장수를 만나리라고는

밤을 수확하는 가을이라서인지 볼량시장 메트로역 앞에는 군밤장수가 있다. 멀리서 봐도 찾기 쉬운데, 하얀 연기가 자욱하게 하늘로 올라가는 곳을 보고 가면 된다. 어떤 때는 거리에 불이 난 것처럼 연기가 자욱할 때도 있다. 밤은 우리나라와 똑같이 생겼는데 소금과 함께 구워서인지 군밤 표면에 하얗게 소금기가 올라와 있고, 밤에 칼금이 그어져 있어 밤 껍질이 쉽게 까진다. 소금 때문에 밤에서 짠맛이 살짝 나지만, 군밤은 정말 맛있다.

'포르투에서 군밤이라니……', 따사로운 햇살을 받으며 입에 군밤 하나 집어넣고 오물오물 먹으며 거리를 걷는 것도 재미있다.

산타 카타리나거리의 군밤장수

산타 카타리나거리

푸나쿨라에서 강가로 내려가는 골목길

포르투를 예쁘고 매력적인 도시로 만드는 것들

포르투는 실제로 작지 않은 도시이지만, 여행자로서 움직이는 행동반경은 보통 동서남북 지름 1.5km 정도로 넓지 않은 편이다. 언덕이 있어 걷기에 좀 힘이 들고 시간이 좀 더 걸릴 수 있지만, 10~30분 정도면 시내 관광지 또는 명소를 거뜬하게 이동할 수 있을 정도로 작은 도시이다. 누군가는 하루 만에, 또 어떤 이는 이틀 만에 여행하고 또 다른 도시로 이동할 수 있다고도 한다. 하지만, 도시의 속살을 제대로 경험하고 이해할 수 있으려면 현지인의 시선과 현지인의 시간으로 느껴보는 것이 필요하다.

몇 개의 외국, 몇 개의 도시를 여행했느냐가 중요한 것이 아니라 여행한 그 도시를, 그 나라를 진정 느끼고 이해했는지가 좀 더 여행의 목적에 부합

하지 않을까? 포르투의 사소한 것들까지 자세히 들여다보면 훨씬 더 예쁘게 다가오는 포르투의 속살을 만날 수 있다.

전 세계에서 가장 아름다운 맥도날드 매장이 포르투에?

<리베르다데광장의 맥도날드>

어디서 봤는지, '전 세계에서 가장 아름다운 맥도날드 매장!'이라는 말에 호기심이 일어 한 번 가보고, 그 다음엔 '내가 갔던 데가 정말 거기였나?' 의심이 들어 다시 한번 갔고, 세 번째는 '가까운 곳에 그냥 햄버거를 먹으려고' 찾아갔다. 이 리베르다데광장Praça da Liberdade 앞의 맥도날드 매장은 숙소와 아주 가까운 거리에 있어 그 앞을 여러 차례 지나다니기도 했다.

기품 있어 보이는 5~6층 건물 앞에는 넓은 보행로가 있고, 매장 앞은 야외 테이블이 넓게 갖춰져 있어 항상 많은 사람이 밖에서도 음식을 먹는다. 입구 문 위에는 맥도날드 상호와 함께 사람 키보다 더 큰 독수리가 날개를 펼치고 앉아 있는 모습이 꽤 근사하다. '독수리 때문에 가장 아름다운 맥도날드?'

매장 입구를 지나 안으로 들어가자마자 제일 먼저 맞이해주는 것은 음식 주문용 키오스크이다. 내부로 좀 더 들어가니 천장 군데군데 샹들리에가 환한 불을 밝히고 있다. 전면 유리창은 스테인드글라스로 치장되어 있어 그냥 밋밋한 유리창과는 확연히 다르다. '그런데 뭐 때문에 가장 아름다

리베르다데광장 앞의 맥도날드

운 맥도날드?'

잘 모르겠다. 독수리상이든, 샹들리에든, 스테인드글라스를 각각 하나씩 놓고 보면 모두 예쁜 것을 알겠는데 전통적 의미에서의 패스트푸드 매장과는 잘 어울리지 않는 인테리어가 아닌가. 이곳 맥도날드 매장이 '전 세계에서 가장 아름다운'이라는 수식어를 갖게 된 것은 과연 어떤 것 때문이었을까를 햄버거를 먹으며 곰곰이 생각해 본다.

정답은 샹들리에!

난 햄버거는 항상 세트 메뉴를 선택한다. 키오스크에서 주문하는데 막판에 더 이상 진행이 안 되어 당황했다. 포르투갈 세금 아이디$^{Tax ID}$? 이런 걸 입력하라고 하는데 난 그게 없으니 그냥 패스. 그러고 나면 '카운터에서 돈 낼래?'하는 멘트가 뜬다. 결국 반쪽만 성공하고, 최종 결제는 카운터에 가서 사람한테……. 도대체 이게 뭔 일인지?

햄버거를 받아 들고 매장을 나오면서 보니 사람들이 문밖에 길게 줄 서 있다. '내가 들어갈 때도 줄이 이렇게 있었나?' 들어갈 때도 사람들이 많기는 했다. 사람들을 헤집고 들어가 비어 있는 키오스크에서 주문했는데 나도 모르게 새치기를 한 것인지도 모르겠다.

'에라 모르겠다. 몰랐으니, 다음부터 잘하면 되지 뭐.'

햄버거를 받은 후 밖으로 나와 야외 테이블에 앉았다. 파라솔이 비와 햇빛을 막아주고, 그 위에 키 큰 단풍나무도 비와 햇빛을 막아주니 시원하고 풍경도 좋다. 다만, 비둘기가 자주 음식을 탐하기 때문에 방심하면 내 끼니를 빼앗길 수 있어 정신 바짝 차리고 햄버거를 먹는다.

주소 Praça da Liberdade 126, 4000-322 Porto

<히베이라의 맥도날드>

히베이라 서쪽 끄트머리이자 1번 트램 종점인 앙팡테역Infante 맞은편에
도 맥도날드 매장이 있다. 바로 옆에 도우루강이 흐르고, 주변 건물도 백
년 이상은 훌쩍 넘었을 것처럼 오래되어 보이고 예쁜 모습을 하고 있다. 여
러 차례 지나다니면서 예쁘다는 생각만 하고, 실제로 들어가서 주문은 하
지 않았다는 것을 글을 쓰면서 알아차렸다.

이곳 맥도날드 건물은 외벽이 붉은색 타일로 장식되어 있는데, 매끄럽
게 반짝이는 모습이 색상과 잘 어울려 예쁘다. 장식은 과하지 않지만, 독특
한 형태의 유리창과 창틀이 건물 전체와 잘 어울린다.

햄버거 등 음식이야 다른 어느 맥도날드 매장과 동일한 맛이겠지만, 이곳
은 특히 해 질 녘의 저녁 시간에 방문하여 야외 테이블에서 음식을 먹으면
정말 멋질 것 같다는 생각을 해본다. 주변의 오래된 건물과 건물 외벽의 붉

히베이라의 맥도날드

은 색상, 도우루강과 강 너머 빌라 노바 드 가이아, 그리고 서쪽으로 붉은빛 노을 등 모든 것이 한데 어우러져 음식을 훨씬 더 맛있게 만들 것 같다.

이곳에서 햄버거를 먹어보지 못한 것이 못내 아쉽다.

주소 Rua do Infante D. Henrique 131, 4050-298 Porto

외벽 한 면이 온통 아줄레주로 뒤덮인 까르무성당

까르무성당Igreja do Carmo은 포르투대학교와 트램 종점 맞은편에 위치한다. 근처에 클레리구스성당과 탑, 렐루서점 등이 있어 성당을 목적지로 하지 않아도 오다가다 여러 차례 마주치는 성당이다. 1768년 바로크 양식으로 건축되었고, 요금을 내고 내부에 들어가 화려한 성당 모습을 감상할 수 있

까르무성당 외벽을 가득 채운 아줄레주

으며, 성당 꼭대기에 올라가 포르투 시내를 조망할 수도 있다. 뭐니 뭐니 해도 이 성당이 유명한 것은 동쪽 외벽 대부분을 장식하고 있는 푸른색의 아줄레주이다. 창과 창틀, 일부 기둥을 제외하고는 모든 벽면이 아줄레주로 웅장하게 장식되어 있다.

까르무성당과 바로 서쪽에 붙어 있는 까멜리타스성당Igreja dos Carmelitas, 그리고 그 두 성당 사이에 끼어 있는 '포르투에서 가장 작은 집' 등 세 개가 모두 붙어있는 모습을 건물 남쪽에서 볼 수 있다.

웹사이트 agendaculturalporto.org/igreja-do-carmo-porto
주소 R. do Carmo, 4050-164 Porto
운영시간 월~금 09:00~12:00, 14:00~18:00
요금 3.50유로

포르투 시청

시청Câmara Municipal de Porto을 북쪽으로 두고 그 남쪽에는 알메이다 개럿 Monumento a Almeida Garrett의 동상이 놓여 있고, 맥도날드 매장과 인터컨티넨탈 포르투호텔InterContinental Porto까지 400여 미터의 광장이 이어진다.

1957년부터 시청사로 사용되는 이 건물은 호주 시드니와 브리즈번의 시청사처럼 얼핏 봐도 아름다운 석조 건물에다 중앙에는 탑과 시계가 설치되어 있다. 70미터의 중앙탑이 하늘 높이 솟아있기 때문에 포르투 곳곳에서 눈에 띈다. 돌을 가공하여 다양한 조각상과 문장을 만들어 붙인 것도 이국적이고 아름답다. 철문에는 성모 마리아가 보이고, 성채와 글자 등이 장식되어 있는데, 그 생김새와 적당히 세월의 흔적이 묻어 나는 모습이 우리나라에서는 볼 수 없는 것이라서 특히 끌린다.

시청사 앞 광장의 파란색 'PORTO.' 글자 조형물이 있다는 정보를 갖고 갔는데 아무리 찾아봐도 보이지 않는다. 알고 보니 다른 곳으로 이전을 했다고 한다. 한발 늦었다. 포르투를 기념하기에 좋은 피사체가 될 수 있었는데……

주소 Praça Gen. Humberto Delgado, 4000-407 Porto
웹사이트 www.cm-porto.pt

포르투 시청

매력적인 사진을 찍을 수 있는 감성 골목길

포르투를 단순히 몇백 년 전의 역사적인 유물이나 예쁜 경치, 겨울에도 영하로 내려가지 않는 해양성 기후 정도의 이유로만 여행 목적지로 정하는 것은 안타까운 일이다. 이 예쁜 도시의 매력을 좀 더 느끼기 위해서는 좁고, 구불구불하고, 언덕진 골목길을 경험해 봐야 한다.

낮과 밤, 새벽인지 저녁인지에 따라 마주하는 풍경과 느낌이 다르고, 동일한 장소여도 가면서 보는 것과 오면서 보는 풍경의 느낌도 달라질 수 있다. 유네스코 세계문화유산 역시 오래된 성당과 궁전뿐만 아니라 역사지구의 건물 하나하나가 모여 전체를 구성하고, 그것이 세계문화유산으로서의 가치를 인정받은 것이기 때문이다.

골목길

히베이라에서 포르투대성당이나 플로레스거리로 이어지는 무수히 많은 골목길, 도우루강 강가에서 푸니쿨라를 따라 바탈냐로 이어지는 골목길, 강 건너 빌라 노바 드 가이아의 강변에서 모루공원으로 올라가는 골목길이 다양하고 각양각색이라 골목길 감상을 한다고 작정하고 걷다 보면 다리가 아픈 줄도 모른다.

골목길은 다른 일반적인 길과 마찬가지로 시멘트 보도블록이 아니라 돌을 일부러 작게 깨쳐 바닥에 박아놓은 것이라서 울퉁불퉁하다. 운동화를 신고 걸어도 신경이 쓰이고 발목에 무리가 갈 수도 있어 조심해야 한다. 돌은 벽에도 많이 사용되었는데, 다양한 무늬와 형태로 건축되어 밤에는 은은한 전구색 조명과 함께 골목길을 더욱 운치 있게 만들어준다. 언덕이 주는 불편함과 단점이 잠깐 머무는 여행자에게는 결코 단점으로만 다가오지는 않으며, 풍경을 입체적으로 펼쳐주기 때문에 훨씬 더 아기자기하고 예쁘게 받아들여진다.

좁은 골목길에 테이블과 의자, 파라솔을 펼쳐놓고 음식을 서비스하는 레스토랑과 카페는 보행자에게 방해를 준다는 사실보다 골목길에 사랑과 낭만을 가득 채워 주는 것 같아 정겹다. 내리막 골목길을 내려갈 때 조금씩 눈에 들어오고 가까워지는 동 루이스 1세 다리, 가이아의 언덕 집들, 히베이라의 풍경 등도 메트로나 버스만을 이용해서는 절대로 느낄 수 없는 찐 여행의 묘미이다.

우리나라의 현관문과 창문은 방화문과 시스템 창호인 데다 색상이나 형

태가 거의 비슷비슷한 데 반해, 포르투 골목길에서 보는 현관문과 창은 모두 제각각이다. 형태도 소재도 색깔도 똑같은 것이 하나도 보이지 않을 정도로 다양해서 구경하는 재미가 있다. 특히, 우리나라처럼 흰색, 아이보리색, 회색 등이 대부분인 외벽 색깔 대신 주황, 노랑, 빨강, 오렌지, 핑크, 파랑 등 원색의 벽이 골목길과 잘 어울린다.

골목길 어디에서라도 사진을 찍는다면 예쁘게 나올 가능성이 거의 100%이니 포르투에 간다면 골목길을 빠트리지 않았으면 좋겠다.

재미있게 표현한 그라피티

우리나라는 벽이나 공공건물 등에 그라피티가 거의 없어 대부분 깨끗하고 말끔하다. 반면에, 외국 도시 건물 벽에는 어김없이 그라피티가 화려하게 장식된 경우가 많다. 그냥 낙서 같은  그라피티가 있는 반면, 계속해서 눈길이 가고 발걸음이 떨어지지 않는 예쁜 그라피티도 많다. 멋진 그림이나 글자는 없어도 유머 가득한 그림을 보면 발걸음도 가벼워지고 기분이 좋아진다. 포르투의 그라피티는 일부러 돈을 내고 그림을 그린 것처럼 예쁘고 귀엽고 익살스럽고, 그림의 수준도 상당해서 전문가적으로 보인다.

포르투대성당에서 히베이라로 내려가는 폭이 좁은
골목길, 쇼핑몰이 가득하고 예쁜 꽃이 반겨주는 플로
레스거리, 도우루강 강가의 빈 건물 전체에 그려진 그
라피티 등 도시 곳곳에서 많은 그림을 감상할 수 있
다.

뱅크시Banksy 같은 유명한 작가가 그리지 않았더라
도 낙서라고만 생각하지 말고, 열린 마음으로 감상해
보면 어떨까?

아기자기하고 예쁜 대문·창문·간판·공공 시설물

포르투가 예쁜 이유는, 도시 자체가 예쁘고 새로운 것들로 가득차서가
아니다. 천 년 넘는 세월 동안 이어지고
지켜온 포르투의 도로와 건물, 공원, 강
등 유형의 자산과 그 속에서 살아가고
있는 사람들이 이를 사랑하고 잘 보존
해서이다.

좁은 골목길은 자동차가 들어가기
어렵고, 작은 돌조각으로 만든 길바닥
역시 무릎과 발목에 무리를 줄 정도로
불편하다. 포르투에서 하이힐을 신고
여행하는 사람은 거의 없겠지만, 유럽

대부분의 나라와 마찬가지로 포르투를 비롯한 포르투갈 여행에서 굽이 높은 신발은 여행용으로 결코 적당하지 않다. 작고 좁은 현관문 역시 포치Porch나 어닝Awning이 없어 비가 내리면 집에 들어가고 나올 때 많이 불편할 것 같다. 현관문에 번호키나 전자키가 설치되어 있지 않고 열쇠를 꼭 소지해야 하는 것도 많이 불편해 보인다.

하지만, 아이러니하게도 불편해 보이는 골목길이나 대문, 창문이 예쁘다. 나무 창틀이 오래되어 썩고 낡아 보이지만 나무나무한 색깔이 골목길에 따스한 온기와 감성을 불어넣는다. 철문, 알루미늄과 스테인리스 문을 보다가 나무문과 창문을 보니 아날로그 감성이 확 느껴진다. 우리나라와는 확연히 다른 감성이고, 그래서 더 끌린다.

포르투의 상가 간판은 정말⋯⋯. 한식당 '온도'는 아예 간판이 없다. 그

냥 유리창에 흰색 펜으로 글씨를 써 놓은 것이 전부이다. 히베이라에서 상 벤투역으로 올라가는 수많은 도로와 골목길이 있다. 사람 두 명이 바듯 교행할 수 있는 좁은 골목길에도 작은 식당과 카페가 많다. 테이블 두세 개가 있는 이런 작은 곳에 한 뼘 남짓의 돌출간판을 걸어 넣고 장사하는 곳도 많다. 큰 간판, 큰 글씨를 고집하는 우리나라의 간판과는 사뭇 다르

다.

　식당뿐만 아니라 수많은 상점은 작지만, 예쁜 간판을 갖고 있다. 그림과 픽토그램, 글자를 다양한 색상으로 표현하였기에 간판을 보면서 예술 작품을 보는 것 같은 재미를 느끼기도 한다. 간판이 창의적이고 실험적이다. 간판을 대부분 홍보 수단으로 여기는 우리나라와 달리 포르투에서는 가게의 정체성을 드러내는데 더 많은 목적을 두는 것처럼 보인다.

　공공시설물은 일단 포르투 시청에서부터 시작된다. 파란색과 시청 건물을 픽토그램화한 것이 마음에 든다. 게다가 리모델링이나 건축 시공 가림막에 건물, 집, 등대, 해와 구름, 사과, 하트, 쇼핑가방, 술잔과 커피잔, 꽃 등 포르투를 상징하는 그림을 빽빽이 그려 넣은 그림도 한눈에 시청 안내판이란 것을 알 수 있다.

　유적 안내판이나 산티아고 가는 길 안내판 등은 단순하지만 쉽게 자신

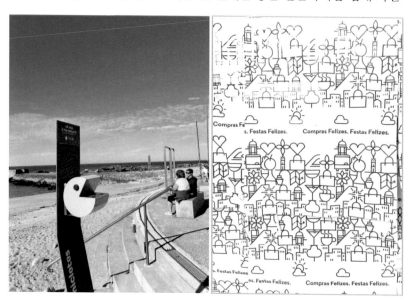

의 존재 이유를 관광객에게 알려준다. 포즈 해변의 담배꽁초 통은 노란색과 까만 동그라미로 재밌게 제작되어 쓰레기통이지만 지저분한 느낌을 주지 않는다. 꽁초를 버리는 사람도 노란 통의 구멍에 딱 맞게 잘 버리려고 노력할 것 같다는 생각이 든다.

제일 마음에 들었던 것은 봉 수세수 마켓Mercado Bom Sucesso 앞의 자전거 거치대이다. '와, 이런 창의력이⋯⋯.' 철을 구부려 자전거 타는 사람을 표현한 거치대인데 누구라도 자전거 거치대라는 것을 한눈에 알아차릴 수 있다. 게다가 예쁘기까지 하다. 자세히 보니 거치대에 디자이너 이름도 새겨져 있다.

공공시설물과 안내판, 간판, 천 년 이상의 건물 등이 각기 다른 시간대에 생겨난 것들이지만, 이질감이 전혀 느껴지지 않고 조화로워 거리를 걷는 한 걸음, 한 걸음이 즐겁다.

플로레스거리와 작은 광장

플로레스, 꽃이라는 이름만으로도 예쁜 느낌이 드는 거리이다. 플로레스거리R. das Flores는 산타 카타리나거리보다 폭이 좁지만, 자동차가 다니기 때문에 걷기에는 좀 불편할 때도 있다. 옛날 그대로의 건물과 거리에 쇼핑 상가와 카페, 기념품점, 박물관, 교회가 있다. 북동쪽의 상 벤투역 맞은편에서 시작해 남서쪽의 작은 광장Largo São Domingos까지 4~500미터 이어진다. 거리 양옆 2~3층 건물 방범창에는 다양한 꽃의 화분들이 놓여 있어 꽃길이라는 것이 자연스레 느껴진다.

플로레스거리에서 쇼핑과 식사, 커피를 마시는 사람들뿐만 아니라 히베이라와 상 벤투역 쪽으로 왕래하는 사람들로 붐비는 거리라서 밝은 에너지와 활기가 항상 가득하다. 2~3층뿐만 아니라 거리에도 꽃 화분이 놓여 있으면 훨씬 더 사랑스러운 거리가 될 것 같다는 생각을 해본다.

작은 광장 Largo São Domingos에는 하루 종일 버스커의 열창이 이어진다. 광장 같은 느낌이 들게끔 공터가 조금 넓고, 레스토랑이 여러 개 있는 데다 야외 테이블이 있어 자연스레 식사와 음악 감상을 할 수 있는 곳이다. 꼭 식당이 아니더라도 길 아무 데나 자리 잡고 앉아 음악을 들으면 된다. 석조 건물들로 사방이 둘러싸이고, 히베이라쪽으로 약간 내리막길

작은 광장 Largo São Domingos

인 이 공간은 제법 자연스러운 공연 환경을 만들어준다. 노래하는 사람도, 감상을 하는 사람도 모두 만족할 수 있는 곳이다.

다른 유럽 도시와 달리 안전한 편에 속하는 포르투갈은 포르투가 특히 더 안전한 편에 속한다. 늦은 밤에도 히베이라와 숙소를 오갈 때 플로레스 거리를 걸으면 위험할 것이라는 생각이 거의 들지 않고 오히려 활기와 흥분을 느낄 수 있어 좋다.

히베이라로 내려가는 골목길

"빨강, 파랑, 노랑 원색의 줄무늬 집이 파란 하늘과 대비되어 예쁘고,

사진을 찍으면 무조건 인생 사진을 건질 수 있는 머스트-고^{Must-go} 관광지"

코스타노바의 줄무늬집과 스페인 여행자

옆 동네 소풍; 원색의 예쁜 줄무늬가 있는 코스타노바의 해안가 집 풍경

코스타노바는 포르투에 가기 전에도 근교 소풍지로 고민하던 곳이었다. 특이한 색깔의 집들에 대한 호기심이 일었고, 하루 정도는 포르투에서 가까운 곳에 소풍을 갔다 오면 좋겠다고 생각을 했었다. 하지만, 선뜻 결정을 하지 못하고 있었는데 집주인 친구 오지가 강력히 추천하는 바람에 다녀오기로 최종 결정을 했다.

1시간 20분, 단돈 3.50유로에 기차 CP 타고 아베이루로!

아침 8시 30분, 집에서 나와 숙소 바로 길 건너 맞은편 상 벤투역으로 나

상 벤투역과 기차 CP

섰다. 상 벤투역 안으로 들어가면 벽과 천장이 온통 아줄레주로 장식된 홀이 있고, 다시 출입구 반대편 문을 지나 플랫폼으로 들어가서 티켓을 사고 기차를 타게 되는 구조이다. 철로는 네 개가 있고, 기차는 두 대가 출발을 기다리고 있다. 기차 앞의 키오스크에서 아베이루Aveiro 행 티켓을 사려고 하는데 키오스크의 스크린에 영어가 보이지 않는다. 티켓 오피스는 닫혀있고, 스크린의 터치 메뉴는 모두 포르투갈어로만 되어 있다. 다른 키오스크에도 가서 기웃거려보는데 똑같은 화면이다. 공항과 빌라 노바 드 가이아의 키오스크 스크린에는 영어가 분명히 있었는데 이게 뭔 일인가 싶다.

가이아역에서는 5회 탑승 충전할 때 영어 메뉴를 사용해 전혀 무리 없이 처리했는데, 외국인이 이렇게 많은 상 벤투역의 키오스크가 영어 서비스를 하지 않는다는 것은 이해할 수 없다. 있을 수 없는 일이다. 그런데 그렇다.

표 구입하는데 헤매다 보니 8시 50분 기차는 10분 정도밖에 남지 않았다. 표를 못 사서 발을 동동 구르고 있으니 갑갑하다. 그렇지만, 한탄만 하고 있을 수는 없어 주변을 두리번거려본다. 멀지 않은 곳의 키오스크에서 티켓을 막 사고 난 젊은 커플이 눈에 들어온다. 청년에게 도와달라고 도움을 청했다. 청년이 밝은 얼굴로 말을 꺼내려고 하는데 여자 친구가 남자 친구의 말을 가로채면서 빠르게 설명과 함께 손을 키오스크로 가져간다. 아가씨는 화면 좌측 아래의 아무 글자도 쓰여 있지 않은 버튼을 누른다. 이거 한번 눌러보고 싶었던 버튼이었는데, 이게 '마법'의 영어 변환 버튼이었다. 상 벤투역을 이용하는 사람이 많아 버튼의 글자가 닳아 사라진 것이었다. 고맙다고 인사를 한 후, 혼자서 표를 구매한다. 표는 종이로 되어 있는데, 카드 발행비(0.60유로)와 교통요금(왕복 7.00유로)을 각각 별도로 결제해야 했다.

8시 45분이 되었고, 교통카드를 기차 앞 기계에 터치하니 목적지가 스크린에 표시된다. 플랫폼에는 기차가 두 대 있었는데, 기차 앞 유리창 표지판에 목적지가 아베이루인 걸 사람들이 타고 있다. 돌다리도 두들겨보고 건넌다는 말대로, 기차에 탄 후 출발을 기다리고 있는 노인 일행에게 아베이루행 기차라는 걸 확인한 후 안심하고 자리에 앉았다. 좌석번호가 지정된 것이 아니라서 그냥 아무 좌석에나 앉으면 되는 시스템이다.

기차는 서울 전철 같은 느낌이다. 깨끗하고 조용하고 쾌적하다. 특이한 건, 바로 다음 역인 캄파냥역에 들어가 잠시 정차해서 손님들을 더 태운 후, 가던 방향과 반대편 방향인 남쪽으로 내려간다. 상 벤투역에서 출발하는 기차가 있지만, 실제로는 캄파냥역이 포르두의 메인 기차역이라서 더 많은 기차가 캄파냥역을 운행한다. 상 벤투역은 예전의 화려했던 역사를 캄파냥역에 내주고, 기차역으로서의 명맥을 유지하고 있다.

차장이 돌아다니며 표 검사를 한다. '표를 구입했어도 기차 타기 전에 플랫폼의 기계에 표를 터치하지 않고 탄다거나, 표를 잃어버리면 안 되겠어!'

아베이루에 가까워져 가니 좌석이 거의 만석이 될 정도로 객실이 북적인다. 서양인이 대체로 뚱뚱하다고 생각해 왔는데, 기차 안의 사람들은 남녀노소 대부분 날씬해서 내 생각이 근거 없는 편견이었음을 깨닫는다.

들판⋯⋯, 우리나라와 비슷한 풍경이다. 올리브나무 농장도 보이고, 옥수수가 빽빽이 자라고 있는 목초지도 보인다. 포르투갈은 우리나라 남한과 비슷한 국토 면적에 인구는 1/5밖에 안 돼서 그런지 집이 듬성듬성 보인다.

오른쪽 창문으로는 때때로 대서양의 잔잔한 은빛 물결도 보인다. 포르투 도시 안에만 있다가 교외로 나가는 기차를 타고 있으니, 동행자가 없고 도시락만 싸지 않았을 뿐, 정말 소풍 가는 느낌이다. 날씨가 쨍하게 좋아서 더욱 소풍 기분이 난다.

예쁘고 평화로운 운하의 도시, 아베이루

아베이루도 멋진 걸!

8시 50분에 상 벤투역을 출발한 기차는 예정했던 10시 10분, 제시간에 아베이루역에 도착했다. 기차에서 내려 발길 닿는 대로 걷고는 있는데, 아직도 아베이루에서의 목적지와 무엇을 할 것인지가 결정되지 않았다. 곧장 코스타노바에 갈까, 이곳 운하를 구경하다 갈까 고민이 끝나지 않았다. 아베이루 운하 근처에서 공짜로 빌려준다는 자전거를 타고 코스타노바에 갈까도 고민이다. 이렇게까지 고민해 본 것은 이때가 처음이자 마지막일 정도로 쉽게 끝나지 않고, 누가 결정해주면 좋겠다는 생각도 든다.

에라 모르겠다, 그냥 걸었다. 대로에서 운하로 빠지니 경치가 좋다. 운하는 정비가 잘 되어 있고, 주변 풍경도 현대적이면서 고즈넉해 보여 편안한 마음이 든다. 한참 걷다 보니 이정표가 보인다. 자전거는 내가 걸어왔던 방향 4분 거리에 있다고. '못 봤는데⋯⋯. 다시 돌아가기는 싫고.'

[무료 자전거 대여^{Loja Buga}**]**

주소 Praça do Mercado 2, 3800-095 Aveiro
이용 시간 09:00~19:00
준비물 신분증(여권, 영문 운전면허증)

자전거 빌리는 것을 포기하고, 그냥 가던 방향으로 계속 가니 경치가 더 좋아진다. 운하에 곤돌라가 떠다니고 운하 주변엔 단풍이 들어가는 나무와 더불어 초록초록한 식물들, 뒤편으로는 고풍스러운 건물들이 따사로운 햇살을 받아 반짝인다.

유람선 배가 쓱 지나가는데 엔진소리가 전혀 들리지 않고 미끄러지듯 나아간다. 끄트머리에 줄로 장난감 오리를 매달아 놓아서 재밌어 보인다. '나 같이 장난 좋아하는 사람이 또 있네.' 혼잣말을 한다.

무엇을 해야 할지 몰라 인근 지도를 보려고 버스 승강장 그늘에 들어왔는데 때마침 버스 한 대가 승강장을 향해 다가온다. 버스 앞 창문 LED에 적힌 목적지를 얼핏 보니 코스타노바행이다. 그냥 올라탔다. 아무 계획 없는 상태에서, 코스타노바행 버스를 보니 무조건 이 버스를 타고 코스타노바로 가야 할 것 같았고, 나도 모르게 강제로 결정을 내렸다.

'이런 무계획 같으니라구……'

오호~, 역시 멋진 걸, 코스타노바!

버스는 11시에 아베이루를 출발해 11시 30분 코스타노바에 도착했다. 사진과 영상에서 봤던 그 줄무늬 집들이 눈앞에 길게 펼쳐져 있다. 사진과 다르게 실제로 보면 규모가 작아 실망하는 경우가 많은데 이곳은 예상했던 것보다 주택의 수가 더 많고 모양과 색상도 다양해 훨씬 더 예쁘다. 건물들이 남북으로 길게 늘어서 있고 동쪽으로 집의 전면이 자리 잡고 있어, 오후에 오면 사진 찍기가 좋지 않겠다는 생각이 든다. 아베이루에서 오전 시간을 보내지 않고, 우연히 버스를 일찍 탄 것이 신의 한 수였다. 아닌 게 아니라 12시가 넘어가니 건물 전면에 그늘이 지기 시작해서 사진 찍기에 그다지 좋지 않은 상태가 되었다.

코스타노바는 아베이루의 서쪽에 있는 해안가이고, 해안가 내륙 면에 해안가를 따라 길게 운하처럼 라군Lagoon이 형성되어 있다. 코스타노바의 줄무늬 집은 바다와 라군 사이의 길을 따라 500~600m 남북으로 길게 늘어서 있다. 집과 라군 사이에는 초록의 잔디밭이 싱그러움을 자아낸다. 줄무늬 집이 모여 있는 곳의 건물 지붕은 대부분 뾰족한 박공 형태이고, 똑같이 생긴 집이 없어 더욱 독특하고 예뻐 보인다.

이 예쁜 집들을 어떻게 만들었을까 여행 전부터 궁금했었다. 분명 목조 주택이라고 생각했고, 벽에 가로든 세로든 길게 방부목을 덧대고 그 위에

Palheiros da Costa Nova

80 m

Praia da Costa Nova

350 m

원색의 페인트를 칠했을 것이라고 예상했었는데 내 생각이 틀렸다. 벽은 콘크리트를 이용해 올록볼록하게 띠를 길게 만들고, 오목 면과 볼록 면에 다른 색깔의 페인트를 칠해 코스타노바의 독창적인 주택 외형을 만든 것이었다.

포르투 히베이라 뒤쪽 언덕 집들처럼 지붕은 붉은색 기와이고, 벽면의 줄무늬 색은 다양하다. 원색이지만 획일적인 원색이 아니라 독특한 원색이다. 빨간색, 노란색, 오렌지색, 초록색, 하늘색, 주황색, 연두색 등 흔해 보이지만, 선명한 채도 때문인지 우리나라에서는 흔하지 않은 색상이다.

낡아 보이는 집들도 페인트를 새로 칠한 것처럼 외관은 깨끗하다. 최근에 새로 칠을 하지 않았을까 생각이 든다. 페인트를 칠하지 않은 상태라고 하더라도 박공 형태의 이층집은 웬만해선 예쁘지 않을 수가 없는데 색깔까지 깨끗하고 명료해 보이니 반하지 않을 수가 없다.

날씨 역시 코스타노바를 더욱 예쁘게 단장해 주는 중요한 요소이다. 햇볕 내리쬐고 구름 한 점 없이 쨍한 날이다 보니 하늘색이 새파래서 원색의 집들이 한층 더 예쁘게 보이도록 만든다.

집 바로 앞의 거리에서 집들을 자세히 보며 풍경 사진과 인물사진을 찍고, 원거리에서도 풍경 구경을 해본다. 집 앞에서 잔디밭을 지나 라군 앞에 오면 이곳 역시 라군을 따라 남북으로 길게 길이 놓여있다. 이곳에선 코스타노바의 멋진 풍경을 한눈에 조망할 수 있다. 예쁜 집들이 작게 보이고, 좌우로 길게 늘어서 있어 장난감처럼 앙증맞아 보이기도 한다. 이 풍경을 가로로 3분할해서 사진을 찍은 후 컴퓨터 바탕화면으로 사용해도 좋다. 집들이 화면의 1/3 바닥에 놓이고, 하늘은 위쪽 2/3에 새파랗게 보이기 때문에 화면이 예쁘게 보이는 데다 프로그램 아이콘도 잘 보인다.

코로나19 영향으로 관광객이 많지 않다. 버스에서 같이 내린 관광객 중에 혼자 열심히 사진을 찍던 아가씨가 내게로 다가온다. 건물을 배경으로 풍경 사진을 찍던 나와는 반대로 셀카에 몰두하던 그녀는 셀카로 만족하지 못했는지, 내게 자신의 사진을 찍어달라고 부탁한다. 실제보다 키가 훨씬 더 크게 나오는 'K-사진기술'을 장착해서 건물을 배경으로 전신사진을 찍고, 인물을 부각한 상반신 사진 두 가지 형태로 찍어주었다. 한차례 사진을 찍은 후에도 같은 방향에, 비슷한 속도로 이동하다 보니 계속 주변에서 마주친다. 다른 사람은 없고, 사진은 찍고 싶다 보니 여러 차례 사진을 부탁한다. 그녀는 스페인에서 왔다고 하는데 영어는 나만큼 정도의 실력이라서 대화하는 데 부담이 없었다(영어를 너무 잘하는 사람하고 대화하는 건 좀 부담스럽다.). 모델은 아니라고 했지만, 셀카 찍을 때도 내가 찍어줄 때도 포즈를 남다르게, 모델처럼 당당하고 다양하게 취하는 모습이 예뻐 보였다. 나도 사진을 부탁해서, 덕분에 건물을 배경으로 한 전신사진을 가질 수 있었다.

다만, 서양인이 사진을 잘 못 찍는다는 이야기를 100% 믿을 수 있게 된 건 덤. 작은 키를 더 작아 보이게 찍는 마법 같은 사진 촬영 솜씨를 가지고 있었다.

10월 말이라서 여행 시즌이 지났는지, 코로나19 영향으로 여행객이 없는 건지 모르겠지만, 관광지라고 하기에 민망할 정도로 사람들이 없다. 그 래서 그런지 몇 개 없는 기념품점도 문을 다 닫아 하나만 남아있고, 식당도 절반 이상은 문이 닫혀있다. 사람들이 너무 없으니 조용하고 평온하기는 한데 여행 기분은 잘 나지 않는다. 그래도 사람들이 많지 않은 것이 더 좋 다.

궁금한 것이 있어 버스정류장 옆의 안내 센터Information에 가서 직원한테 물었다. 사람들이 이 집들에서 실제로 살고 있냐고. 직원은 실제로 살고 있 다고 답을 했다.

여기에 사는 사람들은 실제로 어떤 기분일지 또 다른 궁금증이 일었다.

그림 그리기에 푹 빠져도 좋은 코스타노바

햄버거 가게의 야외 테이블에서 느긋하게 점심을 먹은 후에는 그림을 그렸다. 이렇게 멋진 풍경을 눈앞에 두고 사진만으로 만족하기에는 욕심 이 너무 많았다.

가장 대표적이라고 보이는 집을 찾아 두 개의 그림을 그렸다. 집 맞은편 거리 끄트머리에 설치된 경계석이자 벤치에 앉았다. 처음엔 작지만, 그늘 효과가 꽤 있었던 나무 그늘에 앉아 편안히 그림을 그릴 수 있었는데, 시간 이 흐르면서 점점 그늘은 없어지고 햇볕만이 가득했다. 구름 한 점 보이지 않고 새파란 하늘이 예쁘기는 한데 너무 뜨겁다.

이번에도 아이패드를 사용하였다. 그림 앱App 사용에 익숙해지고, 그림 그리는 실력도 조금 나아졌는지 건물 두 채를 그리는데 두 시간이 채 걸리지 않았다. 너무 일찍 그리기도 했고, 너무 단순화시켜 그린 것은 아닌가, 뭔가 좀 아쉽기도 해서 다시 하나를 그렸다. 이번엔 세 채를 그렸는데 이번에도 두 시간이 걸리지 않았다.

그림을 그리면서 집의 생김새를 상세히 살펴볼 수 있어 코스타노바를 추억하는데 더없이 좋은 기회가 되었다. 그렇지 않으면, 보는 걸로 끝나버리고 얼굴 돌리면 그새 기억이 나지 않게 되니까 말이다. 4시까지 두 개의 그림을 그리고 일어났다. 두 번째 그림을 그릴 때는 땡볕 아래에서 그림을 그리는 꼴이라서 얼굴이 뜨겁게 달아올랐다. 초등학생 정도의 그림 실력이지만, 생각보다 내 능력 이상으로 잘 그린 것 같아 기분이 좋았다.

코스타노바 다녀오기

<포르투-아베이루; 기차 CP>

포르투에서 코스타노바에 가는 제일 편리하고 저렴한 방법은 기차 CP를 이용하는 것이다. 기차는 아베이루역까지만 운행하고 코스타노바에는 철로가 없기 때문에, 아베이루에서 코스타노바는 시내버스를 이용해야 한다. 기차는 우리나라 KTX, 새마을, 무궁화호가 있는 것처럼 포르투갈도 여러 등급의 기차가 있고, 종류에 따라 금액과 소요시간도 다 다르다.

인터넷 웹사이트나 휴대폰 앱을 이용해 조회하고 표를 예약하면 편리하다.

U 3.80유로, 일등석 AP 22.10유로로, IR 13.15유로로, IC 14.05유로 등 기차 편에 따라 금액이 다르다. 시간은 일반기차가 1:30 걸리기도 하고, 1:10, 1:20 걸리는데 반해 상위급 기차는 1시간이 채 걸리지 않는다.

포르투에서는 캄파냥역이나 상 벤투역에서 탈 수 있는데, 종점이 상 벤투역이라고 하더라도 캄파냥역을 거쳐 가니 숙소 위치 등을 고려하여 승하차 역을 선택하면 된다.

웹사이트 www.cp.pt/passageiros/en

<아베이루-코스타노바; 버스>

지정된 버스 시간표에 따라 운행한다. 아베이루 기차역에서 코스타노바까지 50여 분이 소요된다. 기차역 바로 옆에 있는 버스터미널^{TERMINAL RODOVIÁRIO}에서 타면 된다.

버스비 3유로 이내
노선 36번 버스
웹사이트 www.aveirobus.pt(영어 서비스는 되지 않아 편리하지 않다.)

코스타노바

Epilogue

예쁜 포르투의 모습을 사진과 글로 소개할 수 있어서 행복

1년 6개월간의 글쓰기가 끝났습니다.

쓸까말까 고민하다 조금 쓰고, 한참을 멈췄다가 다시 시작하게 된 계기가 있습니다. 인쇄소에서 일하며, 6,000여 페이지에 달하는 어느 도시의 시사(市史) 내용 교정 작업을 하다 보니 문득 내 글을 다시 쓰고 싶다는 생각이 들었고, 여행 이야기 외의 주제로 글을 쓰는 재주는 없다 보니 한참 전에 쓰다만 '포르투' 글이 생각났습니다. 게다가 시간이 지나도 포르투의 예쁜 도시와 친절한 사람들, 평온하고 매혹적인 분위기가 자꾸 생각나 딸을 비롯한 가족들, 주변 사람들에게 포르투 도시 자랑과 여행 이야기를 들려주고 싶은 마음이 커졌습니다. 인터넷에는 동영상과 블로그, 뉴스 기사 등 수많은 정보가 있지만, 제 시선에서 바라보고 경험하고 느낀 이야기를 말이죠.

여행을 마친 지 2년도 넘은 시간이지만, 글을 쓰다 보면 추억이 아스라이 떠오르고 사진을 보면 그때의 추억이 더욱 선명해지곤 했습니다. 아는 이 하나 없는 보름 동안의 포르투 생활은 완전 내향형인 저에게는 때론 심심하기도, 외로움을 타는 시간이기도 했지만, 귀엽고 깜찍해서 한없이 사랑스러운 포르투의 매력 덕분에 금세 활기를 되찾곤 했습니다.

아무리 생각해도 포르투는 혼자 여행하는 도시가 아닌 것 같습니다. 가족이나 연인, 친구와 함께 여행해야 이 사랑스러운 포르투를 제대로 느낄 수 있을 것이라는 생각이 듭니다. 히베이라광장의 카페, 레스토랑 야외 테이블에 앉아 동행자와 함께 잔잔히 흘러가는 도우루강의 강물과 예쁜 동 루이스 1세 다리, 세하 두 필라르수도원, 빌라 노바 드 가이아의 언덕에 빼곡히 들어선 각양각색의 건물을 감상하며 커피나 식사를 해야 합니다.

산타 카타리나거리의 100년이 넘은 마제스틱 카페에서 J. K. 롤링이 마셨을법한 커피를 마시고, 까르무성당 앞의 카페 야외 테이블에 앉아 앤틱하고 러블리한 트램도 감상해 봐야 합니다. 맛있는 음식을 먹거나, 멋진 풍경을 보게 되면 가족과 사랑하는 사람이 생각나는 것처럼 포르투에서는 쉴 새 없이 가족과 사랑하는 사람이 자연스레 떠오릅니다.

이런 멋진 도시를 사진과 글로 소개할 수 있어서 행복합니다. 글로만 표현하기에는 한계가 있고, 사진 위주의 책은 사진이 가진 의미를 저자 외에 정확히 이해할 수 없어 이 역시 한계가 있습니다. 글과 사진을 적절히 배치하여 지루함을 덜고, 의도하고자 하는 내용을 쉽게 이야기해 드리고자 했습니다.

아쉬움

보름이나 포르투에 있었지만, 특히 많은 아쉬움이 남는 여행지였습니다. 매일 일기를 쓰고 자주 메모를 했으나, 또다시 책을 만들 것이라는 생각은 하지 않았기 때문에 관심이 가지 않는 투어나 경험은 할 생각조차 안 했습니다.

가이아의 와이너리투어, 도우루강 상류의 와인 산지 투어, 도우루강의 라벨루 유람선투어, 툭툭이 타기 등은 그동안 여행에서 유사한 경험을 많

포르투 전통배, 라벨루

이 했던 터라 특별한 흥미를 끌지 못했습니다. 공사 중이라서 어쩔 수 없이 가지 못했던 볼량시장, 에어비앤비로 주인과 함께 지냈지만 많은 이야기를 하지 못한 점, 순례자를 만나 순례에 관한 이야기를 나누고 싶었는데 내향형인 성격 때문에 우물쭈물하다 끝내 대화 시도조차 하지 못한 점 등이 많은 아쉬움으로 남았습니다.

'여행이 그냥 이것저것 보고, 사진 찍고 훌쩍 떠나는 것'이 아니라, 여행지를 직접 걷고, 경험하고, 냄새를 맡고, 로컬 음식을 먹으며 여행지를 느끼려고 한다면 훨씬 더 많은 시간이 필요합니다. 다음에 다시 포르투에 갈 기회가 있을지 모르겠지만, 다시 가게 된다면 아쉬움이 남지 않도록 이전에 못 했던 다양한 경험과 체험을 모두 해봐야겠습니다.

마지막으로,

아빠의 장기 여행을 기뻐하고 응원해 준 딸 수현이와, 두 시간 넘는 인천공항에 픽업해 주고 자신의 일처럼 열렬히 응원해 준 옛 동료 쫑옥 형님, 상규, 승이, 경아에게 다시 한 번 고맙다는 감사의 인사를 전합니다.

2024. 07. 23

스모코 | Smoko

포즈 해변

포르투갈

스페인

포르투
코스타노바
코임브라
리스본

캄파냥역

산타 카타리나 거리

나타 리스보아

시장

비아 카타리나 쇼핑센터

자라

마제스틱 카페

메이아 두지아

한식당 온도

푸니쿨라역

Ways(자전거대여점)

Ponte Infante Dom Henrique 다리

1세 다리

마리아 피아다리

하 두 필라르 전망대

상 조앙다리

200m

유용한 웹사이트

포르투 일반정보 www.introducingporto.com

포르투갈 기차 www.cp.pt/passageiros/en

포르투 메트로(전철) en.metrodoporto.pt

포르투 버스와 트램 www.stcp.pt/en

외교부 여권안내 www.passport.go.kr

외교부 해외안전여행 www.0404.go.kr

주 포르투갈 한국대사관(리스본)

웹사이트 overseas.mofa.go.kr/pt-ko/index.do

주소 Av. Miguel Bombarda 36, 7°, 1051-802 Lisboa Portugal

대표번호(근무시간 중) (351) 21-793-7200

긴급연락처(사건사고 등 긴급상황 발생 시, 24시간) (351) 91-079-5055

E-mail embpt@mofa.go.kr